들어가기 앞서

현대의 판타지를 보면 대체로 강력한 능력을 지닌 용사가 되어 악의 군세를 썰어 내리고는 한다. 하지만 비단 현대의 취향이 아니다. 이것은 고대의 서사시로부터 계속되어 온 우리 인류의 취향이자 왕도적인 이야기인 셈이다. 그러면서 생기는 문제점이 하나 있다. 마왕을 용사들이 처치하는 이야기가 너무 많아졌다. 선악의 대립이란 첨예하면서도 한쪽이 반드시 이기지 않게 하여 긴장감을 주어야 하겠지만 실상은 그렇지 않다. 수많은 작가는 마왕을 패배해야 할 인물로 설정해 놓았다. 마왕이 보여주는 카리스마와 계획은 결국 삽질을 반복하다가 우스꽝스럽고 잘난 척이나 하는 바보의 이미지로 전락한다. 거기에 더해, 최근 유행인 먼치킨물 용사물은 마왕군이 어떤 짓을 해도 이길 수 없게 설정되어서 당신이 어떤 발버둥을 쳐도 용사는 당신의 동족을 유린하고, 살육한다. 이런 '마왕 죽이기' 기조가 점점 심해지는 실정이다.

그러면 마왕에게는 아무런 승산이 없는 건가? 이대로 용사에게 당해주는 역할만을 맡아야 하는가? 당신, 이 책의 겉표지를 다시 보라. 무엇이라 적혀 있는가? 그렇다. 당신. 마왕을 꿈꾸는 이, 갓 마왕이 된 이, 진격하는 용사에 노심초사하는 이. 그런 당신에게 바치는 책이다. 당신의 생존과 용사 토벌을 마음 깊이 바라며 바치는 조언이요, 행동 방침이요, 생존 전략이다.

패배자의 길을 원하는가? 반드시 패망할 길을 걷고자 마왕의 자리에 올랐는가? 아니다. 만약 삶의 가능성이 있다면 그것을 붙잡아야 한다. 그것이 악으로 가득찬 세상이라는 꿈을 이루기 위해 지고 가야 하는 책임이다. 그러니 다소 강압적이며, 쓴소리가 있더라도 감안하라. 달콤한 말만 따르다 용사의 칼을 허용하는 일보다는 밝은 미래가 보장될 것이다.

용사 파티에게 죽임당한 모든 마왕과
그 수하들의 넋을 기리며.

마왕이여,

마왕이여,
당신이 발딛은 그곳은
굉장히 형편없다

1장

마왕이여,

당신이 발딛은 그곳은 굉장히 형편없다

사람의 가장 마음 편한 공간은 어디인가? 아마 지금 이 책이 펼쳐지는 곳은 당신의 궁전, 혹은 마왕군 주둔지와 같이 안전한 장소이리라. 하지만 그곳에 대해 당신은 얼마나 알고 있는가? 필자가 그곳에 직접 가본 적은 없으나, 그동안 마왕들이 보여준 전형적인 모습에 맞춰 평가하자면 그곳은 모래 위의 성과 같다. 곧 무너질 것같이 위태롭고, 전혀 이치에 맞지 않는 공간이라는 뜻이다.

그런 불안정한 공간이라면 제대로 된 악업惡業조차 시작하기 어려울 것이며, 적의 침입도 막지 못하고, 아군이 학살당하기 적합한 피비린내 나는 장소로 변모하고 만다. 이를 막기 위해서 우리는 궁전을 비롯한 여러 장소들이 논리적으로 합당한 장소가 되도록 노력해야 할 것이다.

마왕이여,
궁전을 밝게 하라

"빛이 전혀 새어 나오지 않는 궁전···. 어두운 기운이 느껴지네요."
"···잠입하기에는 좋겠어."
"그래, 적의 본거지니까 조심해서 진입하자고."

궁전 앞에 당도한 용사 일행의 대화

당신의 궁전이 위험천만한 악의 소굴에서 잠입 액션 게임과도 같은 도전 욕구를 자극하는 구조물로 변모한 이유는 단언컨대, 그 어두컴컴한 분위기에서 비롯되었다고 본다. 어째서 어두워야 하는가? 용사가 도달했을 때 불이 차례대로 켜지는 연출 하나를 위하여? 혹은 어둠에서 시작된 존재라서? 그런 변명을 암습으로 죽어 나간 부하의 유족들에게 전할 수 있겠는가?

그럴 배짱이 없다면 당장 밝은 등을 성 곳곳이 설치하라. 은은한 분위기의 등으로는 안 된다. 신비주의 컨셉을 잡을 거라면 애초에 궁전 따위 버리고 히피[1]처럼 아무 데나 나앉아서 살면 될 일이다. 당신의 적들에게 확실히 각인시키고, 당신의 아군 모두가 마왕의 존안을 볼 수 있도록 하는 것은 위엄에도 큰 영향을 주는 일이며, 그렇게 어둑진 곳에 틀어박힌 모습을 보여봤자 사회 부적응자로 비춰질 뿐이다. 양초를 사용하는 세계관이라면 꼭 대리석과 같이 불이 붙지 않는 인테리어를 준비하라.

다만, '샹들리에'만은 절대로 안 된다. 상당히 고풍스러운 분위기를 주며 상당히 밝은 점은 사실이다. 그러나 오페라하는 유령이나, 의심스러울 정도로 살인사건 현장마다 등장하는 탐정들[2]이 샹들리에의 위험성을 이미 증명했으므로 구태여 설치할 이유는 없다.

---

[1] 1960년대 자유분방한 생활과 마약으로 유명한 집단이다.
[2] 소년탐정 김전일, 명탐정 코난, 셜록 홈즈 등

마왕이여,
함정에 더 공을 들여라

"에에잇, 왜 함정이 작동하지 않은 거냐!"
"누군가가 전부 해제하고 지나간-끄악!"
"또 무슨 일이냐! 대답해라!!!"

함정 속 부하 시체를 목견하기까지 23분 전

이것은 취미생활을 위해 설치한 올가미가 아니다. '언젠가 걸리기는 하겠지!' 같은 느긋한 마음으로 기다려선 안 된다는 이야기이다. 악의적인 마음을 가득 담아서 설치할 마음이라면, 성공적으로 작동할 수 있도록 한 번만 더 꼬아 생각해 보라.

용사 일행은 당연히 함정을 경계하겠지만, 함정을 해제하는 과정을 생각해 보자. 얌전히, 한 자리에서 함정을 해체하며 나아갈 것이 분명하다. 그렇다면 해체하려고 서 있을 자리에 또 다른 함정을 둔

다면 확률이 비약적으로 상승할 것이다. 즉, 요점은 잡을 대상의 움직임을 예측하라는 말이다. 그저 살육을 위해 크고 위협적으로 설치된 불이나 가시, 흔들도끼는 당장 어린아이가 파놓은 흙구덩이만큼 단순하고 쓸모없으며, 종종 역이용되어 당신의 수하들이 희생자가 될 것이다.

함정의 역할은 좀 더 있다. 침입자의 위치를 특정할 수 있게 만든다. 그저, 함정마다 넘버링을 붙이고, '작동되었다' 혹은 '해체되었다'를 구분하여 표시해 주는 장치를 같이 설치하자. 이것을 알아도 용사의 위치를 대강 파악할 수 있고, 함정에 빠진 이가 자력으로 탈출하기 전에 발견하여 사로잡을 수 있으며, 예상 진격로에 부하를 배치가 가능해지는 데다, 오작동을 파악하기도 용이하다. 중요한 순간에 작동하지 않는 함정만큼 자리 차지하는 고물이 따로 없으니 언데드들에게 함정의 정기 점검을 맡겨 두자. 어차피 죽지도 않는 몸이니 가치 있게 사용하는 것이 인용술人用術이리라.

궁전 미관을 조금 해치는 걸 감안하면서 큰맘 먹고 설치하였으니, 이 정도 역할은 해줘야 보람이 있을 것이다.

마왕이여,
침입 루트를 제한하라

"용사 녀석들은 어디로 숨은 거냐?!"
"멀리 못 갔을 겁니다, 폐하. 졸개 놈들아, 샅샅이 뒤져라!"

천장 환풍구에 숨어있던 용사 일행을 못 찾아 삽질한 지 13분째

  멀리 못 간 것이 아니라 멀리 갈 필요가 없어서 숨어있는 것이다. 우회로를, 특히 환풍구를 이용하는 방식은 잠입 활동에 있어서 하나의 공식으로 자리 잡았으며 중추를 급습하는 전략적 최고 요충지(...)라고도 할 수 있다. 위험성이 별로 와닿지 않는다면, 광선검 들고 날뛰는 우주 칼잡이들이 이 방식을 십분 활용하여 고작 궁전 하나도 아니고, 인공 행성 하나를 날려버리는 위업을 달성했다.[3]

  이에 대비하는 방법은 당연히 설계도를 자세히 살펴본 뒤에 "통상적으로" 갈 수 없는 비밀통로나 경비병이 들어서기 어려운 장소를 최소화하자. 환풍구를 사람 하나 들어가기 어렵게 딱 머리 크기 정도로 좁게 만들면 되

---

3) 영화 <스타워즈 : 새로운 희망>에서 이 환풍구를 통해 미사일을 때려 박았다.

는 일이다. 사각지대를 줄인다는 면에서 전술한 ~궁전을 밝게 하자~와도 상통하는 면이 있다.

　만약 작아진 환풍구로 인해 구울이나 스컬 병사들의 악취가 잘 안 빠진다는 문제가 발생한다면, 왜 그들을 궁전 안에 들였는지 반성하길 바란다. 시체와 뼈로 이루어진 괴물들을 굳이 끝없이 부활할 수 있는 무덤 바로 옆이 아니라, 성까지 배치할 정도로 당신의 친위대 지원자가 없다면 축하한다. 이번 생에서는 운이 다한 것이다. 요즈음 트렌드가 다른 세계에서 다시 태어나는 것이므로 그것이나 기다려 보라.

마왕이여,

유명한 감옥에 용사를 가두지 말라

"이봐, 사로잡은 용사는 어디에 있지."

"철창 안에 가둬놨습니다!"

"그럼 안되지! 그 녀석에게는 가장 큰 절망을 안겨줘야 돼."

"그러면 어찌하실…."

"거기 있잖나. 지옥의 파수병이 있는 감옥, 타르타로스. 그 감옥으로 이감시켜라."

용사를 붙잡은 기념 연회에서 축전주 첫 잔을 마신 뒤

우리가 조심해야 할 것은 용사지만, 그것을 붙잡았다면 끝이 아니다. 그의 파티, 그의 조력자들은 상징적인 인물인 용사를 포기하는 일은 결코 없다. 그런데 그가 어디에 잡혀있다는 소문을 듣는다면 가장 먼저 떠올릴 곳은 어디겠는가? "가장 흉악한 감옥이며 상상을 초월하는 괴물 우리"일까, 시골의 허름한 창살 안일까.

게다가 이런 시설은 인스타 핫플레이스와 비슷한 위상이 되어서 사람이 그렇게 많이 죽었다고 소문이 나도 '내게 걸맞는 상대가 여기 있다는 말이지!'라며 감옥을 무슨 시련의 탑[4] 비스무리한 걸로 생각하는 머저리들이 몰린다. 그러면서 감옥의 시설들도 낡아지고 안에 있는 괴물들이 흉포해지거나, 수가 줄어드는 등의 변수가 용사에게 유리하게 작용하므로 이목을 끌어선 안 된다.

용사를 무력화시키고 가둔 뒤, 자기가 원하는 대로 요리하겠다는 것까진 말리지 않겠다. 이 책은 당신의 취향까지 개조할 생각은 없다. 다만 용사가 갇힌 장소가 특정되는 것을 피하라는 뜻이요, 어쩔 수 없이 유명 장소가 됐다 치더라도 자신의 궁전 아래에 짓는 멍청한 짓은 하지 말라.

---

4) 게임<호시가미>에 나오는, 층을 올라갈수록 강해지는 계단식 난이도의 던전이다

마왕이여,
문 크기는 적당하게 만들라

"우리에게는 용사 일행이 있다! 공성추 부대---!"
"도오오오올진! 문을 부숴라!"
"와아아아아!!"
쾅쾅거리는 소리가, 함성이 성문을 울린다.

마음에 들던 대문이 박살 나서 잠 못 이룬 날의 아침

한 가지 묻겠다. 당신의 사촌이나 친인척 중에, 할 일 없이 성 안 팎을 서성이는 거인종이 있는가? 없다면, 문을 줄여라. 크기든, 개수든 상관 없이 다 줄여라. 군사가 궁전 안에 바글바글 결집해 있을 정도로 수세에 몰린 것이 아니라면, 상주하는 이는 당신의 친위대나 당신을 미치도록 사랑하는 간부 정도다. 그 정도 인원이 수비하기에는 좁은 문과 통로가 걸맞은 일이다. 습격자가 많다면 진격 속도를 늦춰 소식을 접할 수 있고, 적은 인원이라면 그곳에 몰려가서 몸으로 막아버릴 수도 있다. 이른바 '축차 투입' 전략이다. 물론 시체가 쌓이면서 막는 것은 바람직하지 않지만, 당신이 몸소 행차하여 상황을 정리하는 시간 정도는 충분히 벌어줄 것이다.

물론 크다고 다 나쁘진 않다. 서역의 먼 나라에 있는 베르사유 궁전, 그보다 좀 더 오래전, 좀 더 남동쪽에는 피라미드라는 거대한 건축물이 있었다. 건축물은 권세를 표현하는 수단 중 하나이기에 굳이 성까지 작게 만들라는 이야기는 아니다.

대신 성을 둘러싸는 물길, '해자'를 파서 필요에 따라 문을 올려버리면 출입하기 어렵게 하라. 침입 루트가 한정되며, 만약 하늘에서 날아오는 거라면 경비병이 쉬이 발견할 수 있는 점에서 좋은 구조물이다.

그러나, 절대로 '해자를 파라'라는 명령조차 귀찮다는 이유로 성을 공중에 띄워버리는 만행을 저지르지 말자. 비정상적인 형태를 한 이상 취약점은 반드시 존재하며, 핵을 공격받거나 멸망의 주문 한마디에 멀쩡한 성이 우수수 떨어져 내리는 수가 있다.[5] 당신은 날아다닐 수 있으니 상관없다 생각하겠지만, 당신의 친위대 절대다수는 그렇지 않다. 그러니 멋진 하늘 궁전 따위 생각에서 지워라.

---

5) 영화<라퓨타>에서 천공의 섬은 '바루스' 한 마디에 다 무너졌다.

마왕이여,
자물쇠는 풀기 어렵게 만들라

"뭘 꼼지락대!"
"아, 미안 미안. 좀 배가 고픈데 먹을 것 좀 줄래?"
"가져다줄 테니, 허튼짓 말라고."

청문회에서 생선 뼈로 자물쇠 해제 시범을 보이기까지 2일 전

당신네 건물 대부분의 자물쇠는 대체로 허술하게 만들어진 경우가 많다. 가령, 감옥을 예로 든다면 문에 바로 구멍이 있어서 수감자에게 열쇠가 있다면 열고 나갈 수 있는 친절한 구조이며, 이쑤시개 같은 얄상한 것은 무엇이든 락픽으로 활용되어 전술한 약점과 시너지를 이루어 탈출해달라고 애원하는 수준이다. 이런 것을 반입해 주지 않았으니 잘못이 전혀 없다고 말해선 안 된다. 조촐한 식사만 가지고 양초, 펜, 잉크 따위를 만드는 죄수6)의 묘기를 봤다면 그들에게

물 말고는 아무것도 넣어줄 생각조차 들지 않을 것이다.

이를 보완할 방법은 간단하다. 창살이야 충분히 단단한 것으로 만들었을 테니-만약 아니라면 당장 그것부터 바꾸어라. 요즘 용사들은 상당히 무식해서 일단 부숴버리려고 시도한다- 안에서는 보이지 않는 위치에서 조작하여 개폐하는 자물쇠를 걸면 된다. 8단 자물쇠[7] 정도면 훌륭한 장치가 되겠다. 그리고 간수들은 잠그는 방법만 교육하는 것으로 충분하다. 상관의 허락 없이 그들을 풀어줄 이유는 없으며, 방법을 모르니 풀어줄 수도 없다. 감옥 안에서 지껄이는 온갖 수작을 틀어막는 방법이 되어줄 것이다.

---

6) 소설 <몬테크리스토 백작>의 이프 성채에 수감된 파리아 신부
7) 조선시대 백동 8단 자물쇠는 조작법도 복잡하거니와, 보이는 열쇠 구멍과 숨겨진 열쇠 구멍이 따로 있는 속임수까지 겸비한 장치이다!

마왕이여,
무너지는 궁전을 고쳐라

"크아아악- 네놈, 네놈, 네 이놈 용사!!!"
"이봐, 무너진다! 여긴 이제 위험해! 어서 가야 한다고!"
"...그래."

최종결전 이후, 빈사의 마왕을 놔둔 채 도망가는 용사 일행

용사들은 대체로 멍청해서 잠깐이면 끝날 마무리를 하지 않고 무너지는 궁전에 겁먹어 도망가는 경우가 더러 있다. 이때 생존의 가능성을 조금이라도 높이고 싶다면, 자신의 궁전 잔해에 뭉개져 최후의 일격을 당하는 상황 따윈 없애는 것이 맞다. 고작 한번 졌다고 죽는다면 억울한 일이다. 잊지 마라. 먼 옛날, 동방에는 항상 수세에 몰려있고, 유리하면 유리한 족족 말아먹었지만 결국에는 최종적으로 승리하여 나라를 세운 인간도 있다.8) 요는, 포기하지 않으면 기회는 있다는 것이다. 그러니 이딴 자살 장치를 만든 기술자를 불러 당장 해체를 명하고, 불화가 있었다면 솔직한 대화로 원만히 해결하라.

만약 당신의 마력을 중추 삼아 유지한 궁전이라면, 마력이 거덜 나는 아주 만약 혹시 모를 비상시에 사용될 예비 마력원 정도는 구비해두자. 무너질 전조가 보이는 궁전에서 용사가 탈출한 순간 작동시킨다면 그들을 속이고 잠깐의 채비 또는 도망을 위한 시간 벌이를 기대해 볼 수 있다. 하이에나, 뱀, 레몬상어 등 수많은 동물이 애용하는 '죽은 척하기'에서 한발 더 나아간 궁전 스케일의 '죽을 척하기'인 셈이다.

---

8) <초한지>에서, 시골 공무원 출신에서 한나라의 시조가 된 유방

마왕이여,
기능성 감옥을 디자인하라

휘이-이-이익!

"무슨 소리야! 너, 수상한 짓거리할 생각 말라고!"

"아니, 그냥. 뭐…. 심심해서 휘파람 좀 불어본 거야."

휙-휘익-휘이익-

1분, 용사 일행이 각자의 정보를 교환하는 데 걸린 시간

같은 감방에 처넣지 않았다고 안심할 수는 없다. 그들은 어디에 있든 간에 협력할 수 있으며, 유대감을 통해 눈짓만으로도 소통할 수 있는 달인들이다. 이러면 오히려 같은 감방에 넣었을 때보다 경계가 약해지면서 수많은 탈옥 기회를 낳고야 만다.

그런 수단을 그들에게서 강탈하는 방법은 간단하다. 충격과 마력과 소리를 흡수하는 방벽, 내부에서 외부가 보이지 않는 매직미러[9]

---

9) 안에서는 밖이 보이지 않는 거울. 경찰 취조실의 단골 손님이다

가 달린 방에 그들을 수감하라. 그러면 탈옥 가능성을 낮춰 안심하고 용사를 구하러 오는 조력자 일당을 쓸어버리는 데 집중하기 수월할 것이다. 설마 하건대, '용사 일행이 수감된 방'만 눈에 띄게 저것들을 설치하는 실수를 하진 않으리라 믿는다. 하다못해 내부가 안보이며 강도 높은 매직미러를 방마다 설치하라. 만일 탈옥하더라도 동료를 찾고자 매직미러를 하나하나 손수 부숴서 안을 확인해야 하므로 시간을 끌게 만드는 효과가 있다.

마왕이여, 폭탄밭 한가운데에서 잠이 오는가?

마왕이여,

폭탄밭 한가운데에서 잠이 오는가?

우리는 이제 거처와 관련된 일을 해결하였으니 이제 그 자리에 누워서 안심하고 눈을 붙일 수 있다. 그런데 그것을 아는가? 너무 이르다. 잠자리만 확보되면 도화선이 불타고 있는 폭탄 옆이라도 상관없다면 괜찮겠지만, 이 책은 당신을 살리고자 하므로 이 위험 상황을 좌시하지 않는다.

당신 주변 인물들을 보라. 그들의 상태는 어떤가? 강하고 믿음직한 간부, 목숨을 버려서라도 나를 지켜줄 친위대, 사기충천한 악의 군세...라고 생각할 것이다. 하지만 평소에 자신들을 포장하는 말이 다 그렇다. 한 꺼풀 벗겨보면 저희끼리 사이 나쁜 간부, 제 목숨 건사하고자 도망가는 친위대, 진격하는 용사의 경험치가 될 뿐인 멍청하고 약골인 병사들일 지도 모를 일이다.

'나의 군대가 결코 그럴 리 없다!', '이딴 걸 말이라고!' 다양한 반응이 예상되지만, 이건 책이며, 필자는 인간들 틈바구니에 잘 숨어있으므로 당신의 수하들에게 목숨을 당장에 위협받을 일이 없다. 하여, 필자는 거리낌 없이 지껄일테니 수하들 혹은 수하들과 관련된 당신의 실수에 주의를 기울여서 그들을 유용하게 사용하기를 바란다.

마왕이여,
마왕군에 입대 기준을 만들어라

"방금 무슨 소리 들리지 않았어?"
"무슨 소리?"
"저쪽에서 소리가 났다니까. 확인해 보고 올게."

야간 경계 중 숨어있던 용사에게 기절 당하기 8초 전

인간들 사이에는 보건증이라는 것이 있다. 자신에게 건강상의 문제가 없는지 확인하는 일종의 증명서이다. 그러나 우리 군대는 어떤가? 위의 사례처럼 돌이나 유인책, 짐승이 내는 소리를 구별도 못하고, 뜬금없이 놓인 종이박스10)를 의심 못 하는 천치들, 원거리 무기로 시야 내에 있는 적을 전혀 맞추지 못하는 머저리들11)을 무분

---

10) 잠입 액션 게임 '메탈 기어 솔리드'의 아이덴티티이자, 주요한 잠입 수단이다
11) <스타워즈>의 제국의 병사 스톰트루퍼, 최고의 사격실력(아님)을 자랑한다

별하게 채용하고 있는 게 현실이다.

　해결 방법은 간단하다. 일정 기준점을 둔 신체 테스트를 실시하고 이를 통과하지 못했을 경우 병사로 근무할 수 없도록 못 박아야 한다. 용사를 찢을 힘보다는, 정상적으로 명령을 수행할 수 있는 이가 우선적으로 선발되는 것은 당연한 일이다. 마왕군에 어수룩한 병사가 들어찼다는 소문이 난다면 당신은 악명이 아닌 웃음거리로써 인간들 입에 오르내리게 될 것이다. 어차피 잡졸들이 용사를 해치울 것이라고 기대하지 않고 있는 데다, 용사는 간부 선에서 끝내거나 제 손으로 마무리 짓겠다고 생각하고 있지 않은가.

　이에 '이 정책은 기울어진 운동장이오! 모든 마족에게 동등한 권리가 주어져야 하오!' 같은 비판의 목소리가 나온다면, 더 이상 운동장이 기울어 보이지 않도록 그 자의 목을 꺾어주어라. 마족학살자 용사 타도라는 과업의 무게가 공평한 취업보다 가벼울 리 없다.

마왕이여,
마왕 추종자들을 이용하라

"으하하! 죽어라, 죽어! 전부 죽어라!! 불신자 놈들 다 죽어라!!"
"더러운 마왕 숭배자 놈들…! 저놈들을 막아야 한다!"
"태세를 갖춰라-!"
"허어. 인간끼리 치고받는 것도 생각보다 즐거운 여흥이로군."

변경의 한 마을, 숭배자들과 빛 교단 전투를 직관하며

'마왕 숭배자'들이 자신을 숭배하는 일이 나쁜가 질문할 수 있겠지만, 필자가 지적하려는 부분은 다른 곳이다. 바로 그들이 마왕을 숭배하면서 무슨 짓거리를 하려 했는가다. 살육이다. 사악한 일이다. 악명을 떨칠 수 있는 일이긴 하다. 하지만, 그들은 당신의 명을 받은 군대인가? 당신이, 혹은 당신의 수하가 그들에게 명령했는가? 대부분은, 해당하지 않는다. 저들이 제멋대로 살육에 도취되어 놓고는 당신의 이름을 빌릴 뿐이 아닌지 한 번 더 생각해 보라.

만약 마왕 숭배자라는 인물들이 스스로 다가와 충성을 맹세하려 한다면 학살하려는 마음을 잠시 접고, 마왕처럼 꾸며 둔 하수인을 보내 확인하라. 어차피 그까짓 놈들이 배신해봤자 수가 얼마나 되겠는가 하고 간과할 수 있겠으나, 배신이란 전염병과 같아서 사소한 구멍 하나둘에서 시작한다. 간부 자리를 상당수의 스파이가 꿰찬 조직[12]을 생각해 보면 조심할 가치는 있다. 그들의 충성을 충분히 확인해 보고 실적을 충분히 쌓기 전까지 중직에 두지 마라. 필요한 데로 쓰다가 버릴 수도 있으며 경우에 따라 자신과 한통속인 인간형 인질로 사용할 수도 있다.

---

12) 만화 <명탐정 코난>의 '검은 조직'은 간부의 3할이 스파이 내지는 배신자다!

마왕이여,

말본새가 나쁜 부하를 곧장 죽이지 말라

"참 별거 없는 계획이군요."

"뭐라."

"제가 보자니 이 기습은 참 좋아 보여서 드리는 말이죠. 전멸하기."

참모 한 명이 참수되기 6시간 전

    말을 뼈 있고, 소갈머리 없게 말하는 부하가 꼭 있다. 왕의 권위에 도전하는 어리석은 놈을 처형할 계획이 섰다면, 잠시만 보류해 보라.

    우리는 사람의 설득력과 언어의 뜻 사이의 간극을 생각해 보아야 한다. 가령, 손에 피를 뚝뚝 흘리는 살인마가 "쌍갈! 사람 함부로 죽이면 안 돼, 이 자식들아!"라고 외친다면, 무슨 개소리인가 싶을 것이다. 당장 한 일도 망각하는 정신 이상자로도 보일 것이다. 하지만, 그가 뱉은 말 자체만을 생각해 보자. 인간의 규범~도덕적인 잣대~

에서 바라보면 지극히 올바른 이야기이다. 같은 이야기를 성인聖人이 하였다면 설득력이 무지하게 생겼으리라. '말'은 아무런 변화를 거치지 않은 그대로인데 말이다.13)

풀어 말하자면, 사람의 이미지나 말투만 보고 고깝게 듣지 말고, 그 속에 감춰져 있는 뜻을 파헤쳐 보라는 뜻이다. 가치를 저울질하는 데에 감정이 개입하도록 두지 마라. 과거, 동방의 한 나라에서 날카롭게 전황을 예측하였으나 말주변 없는 직언으로 주인과 불화가 생겨 목이 날아간 참모14)가 있었다. 우리는 용사놈 때문에 총력이 우하향하는 처지임을 인지하라.

만약 이런 시각으로 바라보아도 별 의미가 없다면 그저 물을 흐리는 분탕질에 불과하므로 당신에게 열정을 다하는 심복에게 슬쩍 귀띔해 주어라. 요즘 들어 예의 없는 것이 있다고.

---

13) 논리적 오류 중 '인신공격의 오류'에 해당한다
14) <삼국지>의 원소 장군 휘하의 참모 전풍

마왕이여,
부하에게 신중한 처리를 명하라

"용사가 태어날 신탁이 내려온 마을인가."

"옛!"

"불을 지르고, 살육을 시작해라! 특히, 아이는 보이는 족족 모두 죽여라!"

단 한 명만 생존한 마을이 되기 15시간 전

　당신의 부하들은 무엇을 아는가? 용사의 구체적인 얼굴은? 인상 착의는? 머리카락 색은? 누구의 아들인지? 사람을 찾는 일이 어려운 일임을 알지만, 어디서 태어날 것도 알면서 그런 간단한 조사도 없이 경솔히 일을 벌인 지휘자의 목을 쳐라. 이런 경우는 죽여도 무방하다. 아이를 전부 죽이라는 명령은 마을에 아이가 몇 명 있는지도 모르면서, 보이는 대로 적당히 죽여놓고 "이 정도면 다 쓸어버렸겠지!"라고 생각할 가능성이 높다. 수많은 정보를 앞은 자리에서 습득하는 마법이 횡행하는 현대에도 현지 특파원이 여전히 존재하는 이유가 여기 있다. 그러니 사전 조사에 대한 보고서를 제출토록 하라.

이 모든 작업을 호들갑 떨지 말고 차분하게 처리하라. 대부분의 왕은 신탁을 듣고 급발진해서 일을 그르치거나 자기 파멸적 예언을 손수 실현하는 경우가 무수하다.[15] 당신도 용사 소식을 듣고 그리 행동한다면 결말도 그들과 비슷하리라. 그러니 마을 사람들을 몰살하여 동네방네 자랑하지 말고 은밀한 처리를 명하라. 마왕의 악명을 알리는 게 아니라 용사라는 희망이 존재한다고 공짜로 광고해 주는 셈이다.

---

15) 그리스 신화의 패륜/근친 2관왕 오이디푸스에게 죽은 라이오스 왕이 대표적

마왕이여,
약점이 '거의' 없는 장치에 현혹되지 말라

"이 기계 거인은 아주 사소한 약점을 제외하고는 역대 최강이라고 자부할 수 있습니다! 마왕 폐하께 꼭 이 연성술의 정수를 바치고 싶어 밤잠을 이룰 수가 없었습니다!"
"호오, 그런가. 써먹을 데가 있을지 고려해 보마."
"넵!"

저녁 식사 가는 길에 잠깐 들른 연구소

약점이 거의 없는 장치는 보통 약점이 있다. 그리고 연구자들은 전투 능력이 별로 없어서 그 기계를 타고 나타나기 마련인데, 대체로 용사에게 사로잡힌다. 더 나아가 막대한 정보를 아무렇지도 않게 발설하거나, 그대로 배신해 아군을 살육하는 기계로 거듭나곤 한다.

그러니 그들에게 약점에 대해, 그리고 대비책은 마련하였는지 반드시 점검하는 개별적인 기술자 평가단을 꾸려 시운전 및 점검을 맡겨라. 기술자들에게 점검하는 겸사겸사 비상정지 스위치도 슬쩍 귀띔해 놓으면 '만약의 사태'를 대비할 수 있다. 절대로, '자폭 버튼'이 아니다. 자폭 버튼을 설치했다는 사실이 알려진다면 제 자식 같은 연구물을 자폭시키려 했다고 즉시 배신하니 유의하라.

이런 평가단을 별로 탐탁지 않게 여길지도 모른다. 연구자에게는 자신을 믿어주지 않고 실력을 의심하는 것으로 보이기 때문이다. 그러나 잊어서는 안 된다. 당신은 군 전체를 통솔하는 입장이다. 그것의 탑승자, 그리고 군 모두의 안전과 관련된 책임, 부하의 잘못에 대한 책임은 마왕에게 있으니 이런 걱정은 모두를 위해 필요하다는 점을 짚어주어라.

마왕이여,
연구자의 양산형 부대 생산을 장려하라

"마왕이시여, 새로운 병사들을 만들었나이다!"

"어떻게 작동하는 거지."

"아아, 이걸로 말씀드리자면 소형 마력로에 마기를 주입하여, 각 인형에 부착하는 것만으로 작동합니다. 이걸 이용하면 군세를 잔뜩 불릴 수 있을 것입니다!!"

"음…. 쓸모가 있을지, 잘 모르겠구만."

"…에."

연구자가 펑펑 울던 날의 저녁

　마력을 이용한 군대는 여러 부분이 다소 불안 요소가 내재된 것처럼 보일 수 있다. 괜히 마력만 낭비하고, 운용의 편리성 때문에 조작 명령을 한 곳에서 처리한다면 역으로 조작을 빼앗길 경우를 생각하면 그것대로 리스크가 있다. 그러나 그것에 대비하기 전, 압도적인 물량으로 용사의 체력을 충분히 뺀 다음에 직접 마무리를 지어버리는 데 사용할 수 있다. 양산이 가능하니 마음껏 희생시킬 수 있고, 도망이나 항명 따위 하지 않을 것이다. 양산할 수 있는 군대의 유용성은 앞서 이야기했던 탈취의 단점을 덮어놓고 볼 정도로 굉장하다. 그 단점마저도 설계 과정에서 최대한 다듬어 보완할 수도 있기에 계속 시험하도록 장려하라.

대부분의 전술은 수적 열세를 어떻게든 극복해 보려는 발악[16]임을 생각하면 병력의 수가 얼마나 중요한지를 알 수 있다. 하지만 마왕 당신의 힘은 용사에게 뒤지지 않고, 거기에 더해 수적 우세까지 있다? 질 이유 따윈 없다. 그러니 양산형 적은 쓸모가 없는 게 아니다.

---

16) 병력을 찢어서 한쪽은 버티고 한쪽은 측후면을 기습하는 '망치와 모루 전술'이 유명하다

마왕이여,
아첨하는 놈의 목을 베어라

"마왕이시여, 당신의 절대적인 힘을 이길 이가 세상에 어디 있겠습니까?"
"그렇지, 그렇고말고. 마왕의 청호에 걸맞는 이 힘. 누가 대적할쏘냐."

궁전에서, 부하에게 자신의 완벽한 몸을 자랑하는 아침

"누가 대적할쏘냐"라고 하였는가? 당신을 대적할 놈이 동족의 피를 흩뿌리며 뚜벅뚜벅 걸어오고 있음을 잊었는가? 달콤한 말에 현혹되지 말라. 당신에게 호의적으로 건네는 말과 도움이 되는 것은 다르다. 무능한 이들은 스스로 내세울 것이 없기에 호의적인 말로 당신의 눈과 귀를 가려 제 무능함을 숨기려 든다. 불경하게 당신의 몸을 가리려 든 죄는 충분하므로 거리낌 없이 썰어서 테루테루보즈17)로 만들어버려도 된다. 예로부터 아첨은 동서고금을 불문하고 수많

---

17) 비가 내리면 인형을 교수형(아님)시켜 하늘을 협박(아님)하는 풍습이다

은 왕을 멍청히 만들었으니 논리적인 이유와 함께 다가오는 칭찬이 아니라면 멀리하라.

물론 칭찬을 들은 척 않고 계속해서 의심을 던지는 일은 정신적으로 굉장히 지친다. 그런 당신에게 근본적으로 해결 방법은 못 되지만, 한 번씩 칭찬에 대한 경각심을 불러일으킬 방법을 하나 추천하겠다. 당신의 옆에 어린 마족 아이를 데려다 놓고 자신이 들었던 칭찬을 해주어라. 어린아이는 아마 그걸 듣고 좋아할 것이다. 그 모습을 눈에 새겨라. 그게 칭찬을 들은 당신의 모습이다. 당신이 마왕이면서 꼬맹이와 비슷한 정신 연령이었다는 사실을 깨닫게 되면서 머리가 차갑게 식어 침착해지는 경험을 하게 될 것이다.

마왕이여,
규율과 자유의 우선순위를 엄격히 하라

"으음, 피 냄새로군."
"오셨습니까, 마왕님. 피의 연회를 시작하려던 참이었습니다."
"내 취향은 아니군. 먼저 가겠다."

격분한 용사들에게 썰려 나간 간부 목이 배달되기까지 3일 전

 병사나 간부들의 지역 축제나 사생활에 사사건건 간섭하라는 이야기는 아니다. 부하의 일거수일투족을 감시할 수도 없는 노릇이거니와, 괜한 반발심만 심을 가능성만 높일 뿐이다. 하지만 저것에 심취한 경우는 조금 다르다. 대체로 당신의 명령을 잊고 즐거운 시간을 보내버리는 실수를 저지른다. 술까지 대동한다면 더할 나위 없이 그날은 부대의 파뤼 나잇party night인 동시에 합동 기일이 되리라.
 해법은 간단하다. 그들에게 우선순위를 발표하고, 이를 어기는 이에게 군령으로 다스릴 것이라 엄포하는 동시에 이를 지킨다는 조건 하에 전술한 행위들이 용인됨을 밝혀라. 명령만을 묵묵히 수행하는 강철의 군대를 원한다면 그냥 강철로봇군단을 만들어 내라. 굳이 피가 흐르는 이들에게 강철이 될 것을 종용해선 안 된다. 규율과 자유, 두 가지를 골고루 병행하는 것을 잊지 말아야 할 것이다.

마왕이여,
계획은 부하들과 의논하고 진행하라

"나의 사악한 계획을 펼칠 때가 왔다!"

"계획…. 말씀입니까?"

"그래! 마왕의 이름으로 명하노니, 지금 당장 포 쿨 보제로 군대를 진격시
켜라!"

마왕성, 용사가 시작의 마을을 떠난 지 3일 뒤

아무 말 없음에도 '너에게 다 생각이 있겠지', 하고 전적으로 이해
해 주는 경우는 가족 관계에서도 찾기 어렵다. 하물며, 상하관계가
명확한 집단에서 자신의 계획을 별다른 상의 없이 상관이라는 이유
로 밀어붙인다면, 벌써 폭탄 하나에 불을 붙인 것이나 마찬가지다.
예시에서 나온 부하의 반응을 보라. 계획에 대해 모르는 눈치이지
않은가. 말하지 않으면 모른다. 이는 조직 관계 이전에 인간 관계의

기본이다. 당신이 아는 것을 말하지 않으면 부하들은 알 길이 없다. 말도 하지 않고 제 맘을 몰라준다며 부하들에게 나무라는 것은 어린 아이와 마찬가지임을 알라.

그리고, 한 명이 10년 동안 그린 지도보다는 10명이 1년 동안 그린 지도가 훨씬 정확하다. 자신이 생각지 못한 각도로 생각할 머리가 필요해서, 일일이 손 뻗을 수고를 덜고자 부하가 있는 것이므로 그들의 존재를 간과하지 말라. 그들과 의논을 거치고 나서 계획을 수정한 뒤에 진행하라.

마왕이여,
배신자 부하를 이용하라

"네놈이 감히, 배신을 하다니."
"아닙니다, 폐하! 오해입니ㄷ-"
투콰앙! 묶인 배신자가 있던 자리에는 재만이 남았다.
"더 들어줄 필요도, 생각도 없었다."

옆에 같이 묶여있던 용사가 당황하기까지 1초 전

　사람 말은 끝까지 들어주는 것이 좋다. '괘씸한 배신자를 살려두
라는 말인가?' 라는 의문이 들었다면, 그건 아니다. 그는 배신한 이
상 죽어야 한다. 다만 배신자라면 몸 담근 곳의 정보를 전혀 모를
일은 적다. 거기다가 '정의의 편'인 용사 편이 되었으니 정 많은 그
들이 사정을 전혀 알려주지 않고 버림패로 쓸 가능성 또한 낮기 때
문이다. 물론, 배신자들은 그들에게 감화되어 배신한 경우가 많으므

로 사정 청취용 고문은 별 효과가 없기에 그다지 추천하지 않는다. 대신 고문하여 적당히 힘을 빼놓은 뒤에 정신 지배 계열 악마를 부르라. 그편이 정보의 질도 좋고, 잘 먹힌다.

정보를 뽑을 만큼 뽑아냈다면 정신 지배를 하여 용사와 싸우게 하거나, 성대한 처형식 따위 벌이지 말고, 은밀하게 바로 죽여버려라. 그러면 이 배신자가 갇혀있다는 사실만 아는 용사들은 이미 죽은 이를 구하기 위해 찾아올 것이고, 이는 전후무후한 기회이므로 모든 지혜를 짜내 그곳에서 끝을 보라. 지킬 인질도 없이, 용사가 우리의 홈그라운드로 찾아온다는 이야기다. 압도적인 어드밴티지를 활용해, 총력을 다하라. 여기서 끝내지 못하면, 용사는 이를 기억하고 반쯤 흑화하여 파워업한다. 거기에 더해 복수의 칼을 가는 어둠 속성까지 습득하게 될 것이다. 그렇게 되면 다음번에 용사에게서 아무런 자비와 방심을 기대할 수 없게 된다.

마왕이여,
노획물을 건드리지 못하게 하라

"가둬둔 용사 놈들은 어떻게 되었지?"

"...탈출했습니다."

"어떻게?"

"부하 놈들이 멋대로 건드린 용사 파티의 물건 중에 전이석이 있었던 모양입니다. 그래서."

궁전에서, 꽁꽁 묶인 중간관리직을 걷어차기 직전의 대화

분명 용사들은 여정을 통해 수많은 보물을 지니게 될 것이고, 부하들 또한 소문을 통해 모를 리는 없으리라. 만에 하나 그들을 붙잡는 행운이 따른다면, 용사의 물건들을 그 즉시 가능한 한 파기하고, 그것이 불가능할 경우 봉인하라. 만약 물건을 몰래 노획하려는 자는 병사가 아닌 도적으로 간주하여 엄벌로 다스려라.

신화 급의 물건이라면 당신에게 쓸만한 것이 있을지도 모르며, 위의 예시와 같이 잡졸들이 함부로 건드렸다가 생길 나비효과를 간과할 수 없다. 어느 정도 힘을 지니지 않은 사악한 몬스터들은 만지면 견디지 못하고 죽어버리거나, 원격조종이 가능한 무기라서 아군을 학살해 버릴지도 모른다. 우주의 머나먼 비행선에서는 휘파람 몇 번으로 학살이 자행되었다는 점을 생각해 본다면, 그런 무기가 다시 영웅에게 사용될 바에 처리하도록 하라.[18] 만일 사익을 위해 상부에 비밀로 무언가를 훔치는 일은 적의 무기라고는 할지라도 군사 비리로 볼 여지가 충분하며, 이런 부정은 군사의 기강과도 직결된다.

이런 세 가지 이유로 노획한 것은 그곳에 있는 수단으로도 파괴가 불가능하다면 바로 마력로를 멈추는 방식으로 봉인시키고(대부분의 아티팩트는 주인의 마력이나 허공에 있는 마나에 반응하는 경우가 많다), 간부급을 곧장 파견하여 그대로 마왕에게 진상하도록 하라.

---

[18] 영화 <가디언즈 오브 갤럭시 2>의 욘두가 휘파람 화살로 배신자를 전부 쓸어 버렸다

마왕이여,
산 채로 데려오기를 강제하지 말라

"자기를 용사라고 칭하는 자가 서부에서 나타났습니다."
"오호라. 나에게 대적하려 드는가. 그 녀석을 반드시 사로잡아 와라! 그런 건방진 생각을 하는 놈에게 힘의 차이를 보여주겠다."

궁전에서, 서부 시골에서 온 전령의 소식을 들음

제정신인가? 당신이 한 말이 얼마나 터무니없는 일인지 생각해 보라. 자신에게 칼을 겨누려는 살인마를, 부하에게 죽이지 말고 데려와서 친히 목 썰 기회까지 주겠다는 멍청이가 어디에 있는가? 또한, 용사를 붙잡아오라 명을 받은 부하가 당신과 동급의 힘은 결코 아닐 것이다. 그런데 산 채로 잡아 오라니. 생포는 힘의 우열 관계가 명확해야지만 가능한 일인데, 부하가 생포할 수 있는 정도라면 당신에게는 적수조차 되지 않을 것이다. 그런 놈에게서 재미를 느낄 리는 만무하다.

다시 말해 잡히지 않는 것이 정상이요, 잡히면 가지고 놀 재미도 없는 존재이다. 당신에게 감히 반역하는 놈을 수집하는 취미가 있어서 어떻게든 잡아야겠다면 부하들에게 "방심하지 말고, 무리하지 않는 선에서 생포해라. 상황이 여의찮으면 죽여도 좋다!"라고 명령하라. 지키기 어려운 데다 완고한 명령은 군에게 부담감만을 줄 뿐이다.

마왕이여,
무능한 아군도 써먹을 데가 있다

"전원 돌격하라! 저놈들은 별거 없는 약골이다!"

10분 뒤….

"젠장!! 마왕님이 주목하시는 천재인 내가 이런 함정에 당하다니!"

"아는 건 다 털어놓는 게 좋을 거야. 다섯 셀 동안 말 안 하면 손가락 하나씩…."

"마마마말할게!말할테니까그그그거칼진짜집어넣어주세요무섭다고아아아아제 발그만해에에에에!!"

무능한 오크 지휘관의 자백 과정

아무리 당신의 군대라고 하여도 무능한 이들은 반드시 존재한다. 개중에는 궤멸적인 피해를 줄 정도로 심각한 이들도 있으니, 정기적으로 보고서를 받아보고, 유독 작전 성공률이 높으면서 별 소득이 없는 지역은 그들이 보고서를 위조하진 않았는지 현지 상황을 은밀히 알아볼 정찰을 보내라. 만약 곧 용사의 진격로에 심각한 하자가 있으며 부정부패를 저지르는 아군이 있다면, 그를 당장 죽이지 말고 완전히 잘못된 정보를 심어 주어라.

앞서 미인계에 대해 이야기하였는데, 해당 전술은 그와 비슷한 부류의 반간계를 이용하는 것이다. 반간계란, 적의 간첩을 역으로 이용하라는 뜻이다. 여기서 간첩이란 도움이 되지 않고 해만 끼치는 부하놈들이다. 그들을 당장 엄벌하는 것은 하책이다. 목을 베어버리면 다른 무능한 놈들이 제 무능을 숨기고자 군에 막대한 피해를 입힐 실수를 저지를 것이다. 그러니 먼저 그들을 이용한 다음에 처리를 꾀하라.

예를 들어, 용사 근처에 배치된 부패한 관리-이후부터 '쓰레기'라 부르겠다-에게 마왕군의 다음 목적(가짜)을 알려준다. 그러면 '쓰레기'는 윗선에 잘 보이고자 다소 무리하다가 용사에게 붙잡힐 것이다. 바로 살해당하지 않으리라 예상하는 이유는, 용사 파티는 일개 파티에 불과하므로 정보 수집에 한계가 있다. 그렇기에 '마왕군만이 알고 있는 비밀스러운 정보'는 상당히 군침이 도는 물건이다. '쓰레기'는 살고자 거짓 정보를 발설하게 될 테고, 그럼 우리는 용사의 거취나 이후 행보를 쉬이 예측 가능한 범주로 좁힐 수 있게 된다.

'병사를 다룸은 속이는 것'[19]이라는 말을 가슴 깊이 새겨두라. 속임수는 비겁하고 사악하며, 마왕은 누구보다도 사악해야 한다.

---

19) "兵者 詭道也", 동방의 유명한 전술서 <손자병법>

마왕이여,

미인계를 미연에 방지하라

"마왕군 친구들. 우리 찐~하게, 뜨겁게 놀아볼래?"

"허어, 너 용사 쪽 사람 아니었나?"

"그런 쑥맥, 쪼-끄만해서 느낌도 안 오던데?"

"우흐흐하하, 인간 주제에 엄청나게 밝히는구만!"

                    2시간 뒤, 침대에서 시체로 발견된 경비병과 수감자의 대화

    미인계는 유구한 전통의 기만전술 중 하나이다. 그리고, 용사 파티는 대체로 전부 미형의 인간이나 엘프, 가끔 더러운 마족 배신자가 섞여 있다. 즉 미인계의 가능성은 항상 염두에 둘 수밖에 없다는 이야기이다. 강인한 투사들에게 있어서 이런 작고 작은 동물들을 상대로 귀엽다는 느낌을 받게 되는데, 이는 우리 뇌에 옥시토신이 호르몬이 작용하는 까닭이다. 머리가 달린 이상 귀여운 것에 사랑스러움

을 느끼고, 사랑스럽기 때문에 유혹당하므로 일종의 불가항력이리라. 그러나 부하에게 불가항력을 견뎌내라고 명령하면 대체로 반발이 일어나며, 여기에 경직된 분위기까지 끼었으면 도무지 재미 따윈 찾을 수 없는 척박한 생활이 자그마한 유혹을 못 참게 만드는 것이다.

그렇다면 이야기는 간단하다. 인간이나 그런 자그마한 것들에게 재미를 보지 못하도록 성교육을 의무적으로 실시하고 정기적으로 서큐버스들과 즐거운 시간을 보낼 수 있게 하라. 인간이나 엘프와 행하는 이종교배가 얼마나 끔찍한 일인지 교육하여 수많은 성병과, 성병이 아닌 이유[20]로 침대에서 발생하는 사망을 방지할 수 있게 될 것이다. 또한 자영업으로 정기를 수확하며 사는 서큐버스에게 안정적으로 마왕군의 정기를 수확할 수 있도록 하는 조건으로 계약하면 군의 들끓는 성욕을 주체 가능한 수준으로 조절함과 동시에 잉여 인력의 취업난도 해결된다.

감옥의 간수로 언데드를 배치하여도 좋다. 아무리 미인계를 시전하려 해도 시체에게 통할 가능성은 극히 낮으며, 그들 또한 죽은 자의 악취에 견딜 비위는 없다.

---

20) 복상사는 제외한다!

마왕이여,

적이 아군으로 변장하는 것에 대비하라

"뭐야, 너. 방금 저쪽 모퉁이로 들어가지 않았어?"

"어, 응. 놔두고 온 게 있어서."

"신입이야? 정신 빼놓고 다니기는. 빨리 니 자리로 가라고."

직후, 식량고에서 일어난 정체불명의 폭발

당신의 부하들은 서로의 얼굴을 알아보는가? 동향 부족이 아닌 이
상 다 고만고만하게 생겨서 별 신경을 안 쓸지도 모른다. 어쩌면 머
리를 잔뜩 뒤덮어 얼굴이 잘 안 보이게 가려지는 투구 때문일 수도
있다. 이는 치명적인 약점이다. 비슷하게 생기고 하나하나 구별하기
어렵다는 것은 변장하여 침입하기 쉽다는 뜻이며, 이는 보안 문제와
직결된다. 마법으로 변장할 테니 마법 무효화 원석을 부대에 설치하
면 해결될 문제라고 하기에는 어느 조직은 가죽을 뒤집어쓰는 물리

적 방식을 채용하여 이마저도 먹히지 않을 때도 있다.[21]

서로의 구별을 위해서 머리를 보호하기 위해 덮는 형태이되 투명한 소재로 만든 투구를 착용시켜라. 얼굴에 진 그늘이나 투구의 디자인 때문에 식별을 제대로 못하는 상황을 피할 수 있다. 만약 뭔가 묻어있다고 한다면 그 즉시 세워서 신원을 확인한 뒤에 투구를 제 손으로 닦게 하라.

또, 순찰은 2인 1조에 어떤 일이 있어도 제 진행 방향 및 위치를 벗어나지 말고, 만약 별도의 행동을 취하려 든다면 즉시 마족어로 된 암구호를 물어라. 매일 바뀌는 이 암구호는 이는 잡졸부터 간부까지 모두 숙지해야 하며, 그것을 모르는 경우는 지위를 불문하고 그 자리에서 즉시 체포하도록 명하고, 이에 불복하거나 '자신을 의심하는 것이냐' 따위의 반응을 보이며 암구호를 말하려 들지 않는다면 즉시 사살토록 하라. 보안에 문제는 구멍에서 나오며, 구멍은 대체로 예외에서 나온다.

---

21) 스파이 영화 <007 시리즈>에서 MI6 요원들은 이를 밥먹듯이 쓴다.

마왕이여,

무투파 간부를 손수 관리하라

"포상으로 바라는 것은 없는가?"

"저에게는 과분한 일입니다. 다만, 강한 이와의 싸움을 갈구할 뿐입니다."

"그래, 지금처럼 그렇게 잘해다오."

용사의 동료에게 도넛 구멍을 만들어줘서 기분 좋은 아침 식전

그에게 중요한 것은 충성인지, 강자와의 싸움인지 확인해 보라. 전술한 '마왕 추종자들을 이용하라 편'와 같이 당신을 향한 충성의 이면에 다른 이유가 존재할 수도 있다. 물론 당신에게 배신하겠다는 불경한 생각은 아니다. 다만 당신에게 충성하는 마음만큼 계속 강해지고 싶어 하고 더 강한 적과의 싸움을 갈망하는 놈들이 있다. 그렇다고 그들을 처형하는 것은 무리수이며 실패할 가능성이 높은데다가 성공한다 한들 제 전력을 왕창 깎아 먹는, 악수惡手 중에서도 최악의 수다.

거기에 더해 이런 부류는 다루기도 상당히 까다롭다. 최강을 향해 정진하는 무도가 이미지로 생각되지만 의외로 방심을 많이 하고, 사춘기 청소년만큼 멘탈이 유리라서 온갖 도발에 다 당해주고, 단세포 근육뇌라서 적에게 감화되어 배신할 가능성도 높다. 그럼에도 이런 놈은 전력에 도움이 많이 되어서 써먹어야 할 수 밖에 없는 점은 뼈아프다.

무투파 간부도 종류가 다양해서 하나로 콕 집어서 조언을 주기는 어렵겠지만, 이 책이 추천하는 방법은, 그와 사교를 위한 대련 시간을 가져라. 단순히 양학한다면 그에게 모욕감만 남길 뿐이다. 당신의 기술을 시험하며 들키지 않을 정도로 힘조절을 해서 상대하라. 전투력이 녹슬지 않는 동시에 자연스럽게 힘의 상하관계를 명확히 할 수 있으며 그의 욕구 불만이 해소되는 데 도움이 된다. 또, 다른 강자와 도전할 필요 없이 마왕 당신에게 집중하게 될 것이다. '네가 이런 힘을 얻을 수 있도록 내가 친히 도와주겠노라'라고 귀띔까지 해주면 효과가 더 좋다.

그리고 그를 출전시킬 때 함께 대동하라. 용사를 죽이고 살리고 결정하는 것은 당신이다. 제아무리 그리고 아무리 힘이 강한 간부라고 해도 부하다. 당신의 명을 멋대로 처리하도록 두지 마라.

마왕이여,
기습 특화 암살자를 채용하지 말라

"기척조차 알지 못하게 다가오는 그 은밀함, 용사를 암살하는 데 부족함이 없겠군. 가라! 그 녀석을 쥐도 새도 모르게 죽이는 거다!"
"삼가, 받들잡겠나이다."

티타임 중 갑자기 등장한 마족 어쌔신과 대화에 할애한 9초

암살이 무엇인가. 은밀히 다가가서 죽인다고 다 암살자라면 개미들과 모든 곤충들은 암살자라 칭해지리라. 게다가 용사들은 눈이 아르고스[22]만큼 온몸에 달린 것도 아닌데 어째서인지 사각이나 암습에 항상 대비되어 있다. 다시 말해, 기습에 특화된 암살자는 항상 암살에 실패하고 정면 힘대결의 양상으로 끌려가다가 결국 패배한다.

해결 방법은 간단하다. 그냥 정면승부에 강한 간부에게 은신 마법을 걸고 그대로 용사에게 보내서 다 죽여버리라 명하면 그만이다.

---

22) <그리스 신화>의 온몸에 눈이 100개 달린 거인. 사각死角이 없다!

용사를 죽이기 전까지 마법이 풀리지 않으면 누가 죽이러 간다는 소문은 전혀 나지 않을 거고, 이 경우가 오히려 대처하기 힘들며-용사들 사이에서는 비겁한 수를 쓰는 암살자의 실력 경시 문화가 자리잡혀 있다- 객지에서 '암살'당한 용사의 시체는 쥐와 새가 뜯어먹어 그들밖에 모르는 일이 된다.

마왕이여,
머리 좋은 참모가 아군인지 확인하라

"마,마마마, 마왕, 님... 어째서..."
"네놈같이 머리 굴리는 족속들은 나중에 다른 생각을 하더군."
꿰뚫린 가슴에서 마왕의 손이, 꿰뚫린 참모의 심장이 꿈틀거렸다.

악마군 막사에서, 참모가 혼자 한 뒷담을 들은 직후

순서가 반대다. 머리 좋은 놈들은 결코 다른 생각을 하려고 살아 있는 존재가 아니라 살아남으려고 다른 생각을 하는 거다. 이런 놈들을 하나 본보기로 처형해 적은 힘으로 많은 경고를 줄 심산이라면, 머리 쓰는 놈들에게는 그다지 효과가 없다. '그놈은 멍청하니 당했다' 이 정도로만 생각할 뿐이다. 또, 멍청이랑 부대끼고 있던 당신에게도 반감을 어느 정도 가지고 있을지 모른다. 여기서 다른 생각이 발생하기 마련이다. 그러니 기존과는 다른 방법으로 그들의 충심을 확인해 보아야 한다.

먼저 이들이 확실한 아군인지 아닌지 명확히 구별하라. '의심스럽다'라는 가벼운 이유로 피바람을 일으킬 순 없는 노릇이지 않은가. 한 가지 방법을 소개하자면, 자신의 약점(가짜)을 '우연히' 그들만이 알게 하라. 그 뒤에 둘이 따로 만나 이 정보를 써먹을 상황을 만들어 속을 떠보자.

만약 이를 다른 곳에 빼돌려 이용하려 들거나, 아무런 말을 안 하거나, 협박이나 거래, 약점 해소에 전혀 도움 되지 않는 조언을 시도하려 든다면 그를 주요 감시 대상으로 격상하고 불온한 움직임이 보이면 증거를 들이밀어 처형하라. 약점을 이용하려 들 의도가 분명하다. 진심으로 약점을 보완할 충언을 올린다면 그에 대한 신뢰도를 조금 더 올려주자. 부하에게 항상 믿음을 주어선 안 된다. 어느 정도 거리는 두어야 속에 칼을 품고 있어도 대처를 할 수 있지 않은가.

그들끼리 견제하는 분위기를 조장하여 통제하는 방법도 있긴 하다. 그러나 굳이 이 방법을 추천하지 않겠다. 그 이유인즉슨 머리를 다른 곳으로 쓰도록 돌려야 하는데, 이런 상황은 굉장히 제한적이다. 변경의 수비를 맡겼다가 군사를 키워 당신을 칠 수도 있다. 다중전선을 고려한다면, 고작 용사 상대로 그런 다중전선을 벌여야 할 정도로 상당히 몰려있는 상황임을 반증하는 셈이다. 폭탄의 도화선은 당신의 손이 닿는 곳에 있어야 함을 잊지 말라.

마왕이여,
자식을 낳지 말라

"이 녀석들, 반항하는 거냐! 왜 아빠 맘을 몰라주는 거냐!"

"맨날 혼담이 언데드 쪽인 건데! 용사가 훠어어얼씬 잘 생겼어! 아빠도 인간이 더 에쁘고 잘생겼으니까 공주 납치해서 결혼한 거잖아!!!"

"...아들! 넌 왜 그러는 거야! 곧 왕위 준다고 했잖아!"

"아빠 왕좌가 참 넓어보이더라고. 나도 좀 앉아보고 싶어서."

'점심 식후경의 반란' 문서 5장 2번째 줄에 쓰여있음

당신의 피가 흐르는 후계자에게 다음 왕위를 넘겨주고자 하는 마음은 이해한다. 하지만, 이는 당신의 약점이 될 수가 있고 나아가서는 당신의 목을 노리는 세력이 될 수도 있다.

대체로 당신의 딸이 배신하는 원인은 '용사에게 반해서'이다. 용사의 얼굴에 반한 경우는 그나마 미형의 인간형 간부들을 소개해 줄

가능성이라도 있지, 용사의 선행까지도 사랑해버리면 그때는 제 손으로 제 핏줄을 끊어야 하는 참극이 발생한다.

아들은 한술 더 뜬다. 당신의 피를 이은 이상 왕위를 이어줄 텐데 뭐가 그리 급한지 아들은 당신의 왕위를 찬탈하려고 든다. 물론 마왕의 수명이 몇천 년밖에 안 된다는 점에서 조바심이 날 수 있지만, 목숨까지 내바쳐 주면서 어리광을 들어줄 순 없다.

그러므로 마족이 상당한 저출산 문제를 겪고 있는 점은 가슴 아프지만, 적이 될 가능성이 높으면서 죽이기 곤란해지는 자식은 가지지 않는 편을 추천한다.

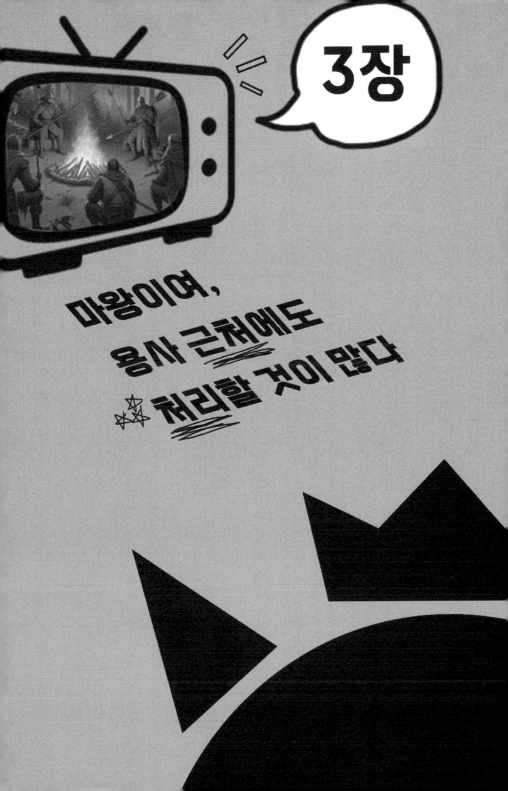

마왕이여,

용사 근처에도 처리할 것이 많다

적을 알고 나를 알면 백전백승이라는 말이 있다. 당신은 용사에 대해서 얼마나 알고 있는가? 잘 모른다면, 다시 생각하라. 살해 예고를 몇 년에 걸쳐 차근차근 이뤄내는 미치광이에게서 관심을 꺼선 안 된다. 사냥을 하려면 사냥터를 자신의 장소로 만들 필요가 있다. 그러기 위해선 용사 근처에, 그에게 도움되거나 우호적인 인물, 상황의 제거가 선행되어야 할 것이다. 용사만 처리하는 데에 혈안이 되지 말라.

그리고, 이런 환경을 만드는데 적대 세력, 특히 인간을 향한 '무조건적인 말살&배척'은 금물이다. 아는가? 칼은 적의 목을 베는데 쓰지만, 음식을 만들기 위해 쓰기도 한다. 그 어떤 것도 용도에 따라 다르게 쓸 수 있다는 뜻이다. 그러니 단순히 죽여야만 하는 존재라는 고정관념을 버리고, 필요할 경우에 죽여라. 적을 자신의 의도대로 통제하고 이용할 수 있게 된다면 용사를 아주 가지고 노는 일도 무리가 아니리라.

마왕이여,
강력한 유명 인사들을 정리하라

"허어, 네 녀석. 유유자적하고 있던 게 아니었나."
"네놈이 그리도 화려하게 놀고 있으니, 잠이 오겠느냐."
"좋다. 네깟놈이 합세해봤자 내 적수는 아니지. 전부 죽여주마!"

궁전 로비에서, 4800년 전 자취를 감춘 드래곤과 용사와 만남

어떤 점에서 그리도 좋은 것인지 모르겠다. 강자를 4000년 넘게 방치해둔 것과, 용사가 그를 포섭할 때까지 방치한 것 중 어떤 쪽에서 좋은지 필자는 전혀 알 수가 없다. '움직이지 않는 뒷방 늙은이 따위 공격할 가치도 없다' 같은 논리를 펼치려면 대항할 힘도 없는 마을 주민을 학살할 이유는 무엇인지 생각해 보고 말을 꺼내라.

그들을 처리해야 할 명분은 확실하다. 서역의 나라에서는 그깟 드래곤 하나 죽인 것이 엄청난 상징으로 여겨져 그 인간[23]을 영웅으

로 떠받드는 노래가 지금까지 이어진다. 그걸 당신이 행한다면 어떻게 될지 생각해보라. '드래곤 슬레이어'의 이름도, '불사 시해자'의 이름도, '별을 떨어뜨린 자'도 모두 당신이라면? 어지간한 용사 나부랭이는 감히 대항할 생각조차 못 하는 절망적인 존재가 되어버린다. 그러니 그들을 함부로 두지 말고, 당신의 영광스러운 트로피로 만들어버려라.

---

23) 북유럽 신화의 악룡 파프니르를 해치운 '시구르드'가 유명하다

마왕이여,
선대 용사의 연고자들 근황을 파악하라

"이게 자네 아버지의 유품이라네."

"이 펜던트가, 아버지의…."

"미안하게 됐네. 찾아갈 엄두를 내지 못했어…. 면목이 없구만."

선대 용사의 동료 '외팔이' 라몬과 용사의 만남

선대 용사들은 보통 당신 부모나 조부모 세대의 마왕을 쓰러뜨리거나, 괴멸에 준하는 피해를 입혔다. 그 이후 최소 몇십 년, 길게는 몇천 년에 준하는 시간이 지났는데, 제 부모나 조부모에 대적한 놈들에 대한 사후 조사도 들어가지 않고 방조한 것인가. 후레자식 같은 이 행동은 악마들에게 높은 점수를 받겠지만, 어리석음 점수 또한 높게 나올 것이다. 용사 편이었던 그들이 마왕군에게 붙을 리가 만무하지 않은가.

용사 동료나, 그들의 후예에 대해 면밀히 조사하라. 용사의 의지를 이은 그의 자손이 있다면, 용사의 떨거지들 또한 그 의지를 이어 조력자로 활약할 날을 오매불망 기다리고 있을 것이며, 조력자로 활동할 용사 앞잡이로 활동할 가능성이 가장 높다. 그러니 하염없이 주인을 기다리는 저 강아지들에게 끝을 맺어줘라. 그럼, 조력자의 도움을 기대할 수 없는 용사의 여정은 진행에 애로사항이 생기고, 방황하다가 별 볼 일 없이 끝나버릴 수도 있다.

마왕이여,
귀족이나 인간 용사 지인을 포섭하라

"마왕님께서 제게 아주 쪼오끔만 병력을 주신다면 용사놈들을 쓸어버릴 수 있을 겁니다!"

"그래. 네놈에게 이만큼의 병력을 줄테니 용사에게 잔혹한 결말을 선사해라."

"아이고오, 감사합니다. 마왕님!"

두 달 후에 용사한테 패배하는, 타락한 귀족과의 대담

계속 반복하여 이야기하지만, 배신자는 또 배신하며, 그들을 이용하라. 미천한 인간에게 선심썼다는 식으로 주는 것은 좋다. 이번에는 조금 다른 방식으로 그들을 이용하여야 되는데, 그가 용사와의 동족이라는 점이다. 마왕군과는 달리 그들은 쓰러뜨리되 결코 죽이지 않는 인도주의적인 방식으로 해결하려 들 것이다. 해쳐선 안되는 '깍두

기형 적군'인 셈이다. 그러니 그들이 실패했다 하더라도 곧장 처형하면서 당신의 부하가 입장하지 말고, 최대한 질질 끌어서 정보를 빼내자. 처음부터 질 것으로 예상했을 뿐더러, 군사를 조금 줘도 땡큐를 외치며 충성을 외치는(진실한 충성이든 겉만 충성이든 간에) 녀석만큼 좋은 버림패는 없다. 그러니 용사를 사로잡거나 그들에게 이야기를 듣는 방향으로 이용하고, 여차하면 그대로 놓아주어라. 차피 우리의 정보 알려준 게 없으니 구태여 처치하는 수고까지 들일 필요는 없다. 언제든지 죽일 수 있는 파리이다. 그럼에도 후환을 생각하고 싶다면, 용사들이 그 지역에서 할 일들이 다 마무리되었다고 생각하고 다른 지역으로 갔을 때 처형해도 무방하다.

　욕심을 부리거나 우리를 해치울 방법이 있으니 따르라는 협박을 한다면 그 정보도 수집하도록 살려놓으라. 그런 하찮은 인간도 우리의 상대법을 알고 있었다는 것을 알게 되었으니 오히려 싸게 먹힌 것이다.

마왕이여,

은둔자들을 색출해 처리하라

"오늘도 별 수확은 없었네…"

"뭔가, 곤란한 게 있나보지?"

"당신은 누구십니까?"

"나는…음, 그냥 노파심 많은 평범한 할아버지라고 해두지. 그보다도 내가 할 말이 도움이 되리라 생각하는데."

허름한 산등성이 여관, 후드 쓴 할아버지와 용사의 대면

전에 그들의 수집할 수 있는 정보는 한계가 있다고 말한 적이 있었다. 때문에 중간중간에는 방황하고, 다음 목적지를 정하지 못한다. 이런 때에 절묘하게 '정말 평범한 지나가던 사람'이 그들에게 중요한 정보를 흘리고 나아갈 방향을 알려준다. 이들이 앞서 이야기한 선대 용사의 동료일 가능성도 있으나, 그들이 잠적해서 어디에 짱박

혀있다가 용사가 지나가니까 아는 척 한다는 점에서 가능성은 다소 낮다. 그보다 우리가 주목해야 할 것은 그들의 수동성이다.

은거한 늙은 놈들은 대체로 분쟁이 계속되는 세상에 회의적으로 느껴서 그렇거나, 자기 수련 때문에 세상이 멸망하든 거꾸로 뒤집혀 져 공중제비를 돌든 별 신경 안 쓰고 산다. 숨어 살고 있다면 둘 중 하나의 방식으로 해결하면 된다. 그들이 아예 세상에 연을 끊게 하 거나, 은거를 끝내고 나오게 유도하여 목을 썰어버리자.

염세주의에 불을 붙여라. 당신의 군대를 인간으로 변장시키고는 그 소문의 은거자가 지내는 마을에 진격시켜라. 반응이 왔다면, 그 마을에 관찰자들을 풀어 그 인물과의 주변 관계를 파악한 다음 은둔 자를 범인으로 지목당하게 상황을 조작하라. 숨은 주제에 꼴에 인간 이 그리워서 틈바구니에 비비고 살던 그들은 죄책감 때문에 어디 처 박혀 살거나 타락할 것이고, 이러면 용사 따위와 만날 일은 거의 없 어진다. 그들이 호전적이라고 하더라도, 예상치 못한 순간에 뜬금없 이 나타나는 것보다는 경계가 가능해지기 때문에 훨씬 대처가 쉬워 진다.

마왕이여,
숨겨진 가정사 따위를 밝히지 말라

"죽여주마, 네 아비가 그랬던 것처럼."

"...뭐라고?"

"그래, 알베스. 그놈도 용사였다. 동료 따위를 지키다 뒈졌지! 너도 비슷한 결말이라니, 시시하군."

숨겨진 가정사를 듣고 격분한 용사의 파워 업 3초 전

용사에게 자식이 있었으나 그걸 모른척하고 있었다는 점은 불문에 부치겠다. 보통 선대 용사의 잠재된 힘이 그의 유년기를 지켜줬거나, 상상도 못 할 만큼 시골에서 태어난 아이의 정보까지 당신이 신경 쓸 겨를이 없다는 점은 참작이 가능하기 때문이다.

마왕이기에 고인 능욕은 상당히 높은 악행 점수를 받을 수 있겠으나, 때를 가려 할 줄도 알아야 한다. 동기부여라는 말을 아는가? 용사는 대체로 당신네 군대에게 희생당한 사람들을 위하여, 정의를 위하여 같은 두루뭉술한 이유로 싸우기 마련이다. 마치 마왕 당신이 죽으면 모든 문제는 해결될 것처럼 생각하지만, 실제는 그렇지 않다. 인간 내부의 문제는 우리가 조장하였는가? 저들끼리 일어나는 전쟁은? 전부 우리의 탓으로 돌릴 수 없음을 용사도 어렴풋이 알고 있으리라.

그런데 그곳에 복수라는 동기를 끼얹어 버리면 용사는 '각성 단계'에 들어서고 만다. 각성 단계란 분명 힘은 쥐꼬리만큼 남아서 역전할 가능성이 없는 상황에서 일정 상황을 충족하면 폭발적인 힘을 발하는 단계를 의미한다. 숨겨진 가정사가 대체로 이에 속한다. 그러니 용사에게는 말 걸지도, 말하지도 말고 싸움에 집중하라. 무언가에 열중하는 당신의 모습이 가장 아름답다.

마왕이여,
용사의 라이벌을 암살자로 만들어라

"이번만 협력해줘!"

"하. 마왕 조지고 나면 다음은 네놈 목이다."

"으음, 그건 좀 곤란한데⋯."

"이 베르제트 님을 앞에 두고 주절주절거릴 여유가 있더냐!!"

수세에 몰린 마왕이 최종 형태를 보이기 10분 전

라이벌이란 용사의 경쟁자다. 보통은 한쪽에서 멋대로 선언하는 경우가 많다. 그런데 그들은 경쟁자이면서 한쪽이 위기 상황이 되면 홀연히 나타나 엄청난 협동으로 적을 무찌른다. 그런 '라이벌'을 이용하려면 미묘한 관계를 알아야 한다.

그들은 자신보다 뛰어난 사람을 앞에 두고 그를 증오하지 않고, 쉽게 이길 방법도 있건만 상대도 납득할 수 있는 승리를 원한다는 점에서 단순한 추월의 마음이라 보기 어렵다. 동경과 가까운 감정이라 보는 것이 맞으리라. 이를 역이용하면 된다. 용사를 더 이상 동경할 가치가 없는 인물로 만들어라. 그러면

예전에 잘 먹혔던 방법을 하나 소개해보겠다. 마을 전체를 마왕군이 침공하는 척하면서, 초입에 보이지 않는 환각 마법을 걸고 은신하라. 그리고 용사들은 마을 안쪽까지 입성한다. 마을 주민들은 벌써 다 해치웠다 생각하여 용사 일행에게 다가갈 것이다. 이때 환각 마법이 주민을 마왕군으로 보이게 만들고, 용사는 환각 속의 마왕군을 사냥한다.

이 진실에 근거한 소문을 퍼뜨린다면 용사의 라이벌이 될 사람은 용사의 암살자로 탈바꿈하게 된다. 조력자들은 그에게 더이상 협력하지 않는 선으로 관계가 끝나겠지만 라이벌은 좀 더 각별했던 만큼 타락하는 용사를 막으려 하거나 경우에 따라 그를 제거하려는, 안타깝지만 고마운 상황이 발생한다. 이 때 격전을 펼치고 탈진한 둘을 한번에 잡으면 된다.

마왕이여,

용사가 재미 볼만한 상황을 배제하라

"아이고오~! 용사님들 감사합니다!!"

"저희는 해야할 일을 했을 뿐인걸요, 뭐."

"겸손까지 하셔라! 사례라고 하긴 뭐하지만, 부디 이거라도 받아 주십시오."

2시간 후, 도적 떼가 전멸한 마을의 광장에서

레벨 업이라는 개념을 알고 있는가? 무기를 다루는 숙련도, 잡스러운 기술, 마력 등등이 한 단계 더 성장함을 뜻한다. 당신은 그들의 성장을 막을 의무가 있다. 그래야 장차 당신의 제국을 가로막는 큰 벽이 되지 않으리라. 방법을 몇 개 추천하자면, 가는 길에 아름다운 종업원이나 퀘스트 거리를 주지 마라.

이런 방식도 있다. 먼저 마을 사람들을 괴롭히는 들끓는 도적떼나

야생 몬스터들을 무찔러주어라. 그럼 그들은 우리를 마왕군이 아닌 다른 존재로 볼 것이다. 마을 주민들이 우리에게 감사와 환호를 보내러 올 때, 그들도 절멸하라. 이 때 얻는 자폭 및 좀비용 시체와 부정적인 감정들은 부차적인 수입이다. 꼼꼼하게 다 죽여라. 최후의 생존자, 어린 아이 한명이라도 살아서 나가서는 안된다.

그렇게 용사의 예상 진행방향에 있는 마을마다 초토화시킨다면 그들은 자신들이 계속 늦는다는 죄책감과 당신을 향한 분노로 불탈 것이다. 성취감을 느낄 순간 따위 주어선 안된다. 그렇게 계속 경험치가 아닌 분노만 쌓인 채 당신의 군대에 맞서야 된다. 그들에겐 안됐지만, 화내는 일 정도는 어린 아이도 할 수 있다. 그 뒤부턴 당신의 자유다. 잔뜩 성난 애송이를 당신의 취향껏 요리하라.

마왕이여,
용사의 설득을 이용하라

"지금이라면 바뀔 수 있어! 내가 이런 세상을 바꾸겠어! 그러니 제발, 마왕!"

"...너무 늦었다, 용사."

"잠깐, 마왕! 안돼!!!"

0.2ml, 벼랑에서 뛰어내리는 마왕에게 홀린 용사의 눈물

용사의 방심과 위선에는 끝이 없다. 몇몇 용사들은 지금까지 잘만 패놓고 자기보다 약해진 걸 확인한 뒤에 자비를 베푸는 선인인 척한다. 그것의 극치가 바로 이 장면이라고 할 수 있겠다. 보편적인 악당은 우리들이지만, 마족들의 악당은 용사 자신이라는 사실 따윈 별로 개의치 않는 그의 모습이 역겨워도 격양되지 마라. 오히려 이것을 이용해볼 수 있다.

그들이 우리를 설득하려 드는 이유는 가능성이 보였기 때문이리라. 여기서 용사가 방심했다 생각하여 미끼를 덥석 물어선 안된다. 다시 말하지만 용사는 자신들이 우위라고 확실히 생각이 들 때 더 이상 재미도 못보고 의미없는 싸움을 끝내고자 말을 거는 것이다. 그러니 당신이 회유되는 척 하기 위해 뱉는 장황한 사연팔이를 용사가 경청하고 있을 때 노려라. 그 타이밍이면 꽤 잘 먹힌다.

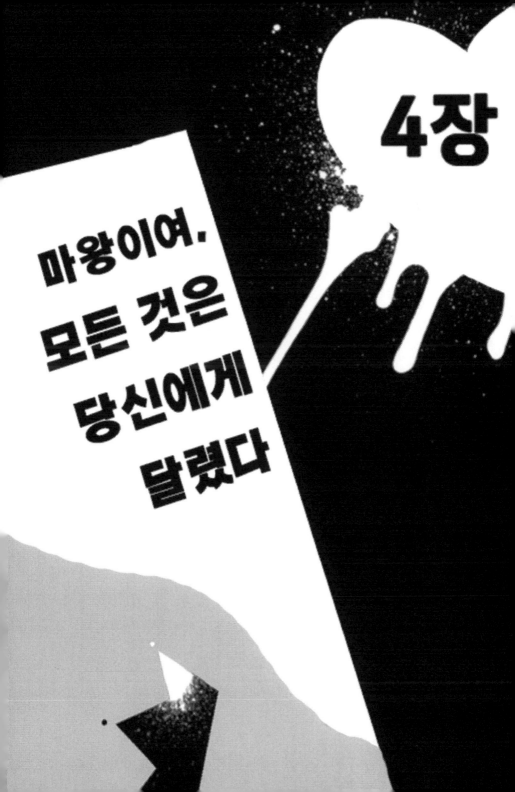

마왕이여,

모든 것은 당신에게 달렸다

궁전, 감옥, 부하, 조력자... 이들도 중요하지만 결국 문제는 당신에게서 말미암아 생기는 것이다. 그리고 그것을 최종적으로 해결해야 하는 이도 당신이다. 명령자 또한 당신이다. 당신의 행동으로 인해 살고 죽는 것도 결국 당신이다. 생각보다 많은 것이 당신에게 달려 있지 않은가. 그러니, 자신의 경솔한 행동과 자세와 성격을 버리고 좀 더 책임감을 가질 필요가 있다.

동시에, 어깨에 힘을 좀 빼야 한다. '자기 자신으로써' 기대되는 역할에 너무 부담갖지 말라. 당신도 마왕이 처음일 테니, 실수가 많을 것은 자명한 일이다. 이를 조금씩 줄여나가기 위해 이 책이 있는 것이고, 조금씩 배워나가면 된다. 익숙하지 않으면 연습을 통해 고쳐나가면 되는 일이다. 시간은 좀 걸릴 수 있으나, 가장 중요한 것은 바로 당신의 마음이다. 마음만 있으면 바뀌어나갈 수 있다. 일체는 마음먹기 달렸음을 알고 그런 지위에 있는 자신에게 긍지를 가져라.

그럼, 이 책의 마지막 장까지 완독한 당신이, 적수가 없는 세상에서 마음 놓고 웃을 수 있는 날을 맞이하도록 기원하겠다.

마왕이여,
죽여버릴 자의 말 따위 들어주지 말라

"마지막으로 남길 말은 없나?"

"그래... 나는 말이지. 이 여정에서 많은 일들이 있었어. 많은 사람들을 만나고, 그들을 구하고, 지키지 못했던 적도 있었지...(후략)"

10초, 뭐라 주절대던 용사가 각성하는데 걸린 시간

마무리 짓는 것과 연관된 이야기이도 하지만, 통상적인 상황에서 그들의 유언은 당신 외에도 여러 사람이 어째서인지 알게 된다. 그리고 이는 후대에게 전해져 용사의 의지를 잇는 씨앗이 되곤 한다. 이렇게 까지 멀리 생각할 필요도 없이, 당장에 시간벌이로도 쓰인다. 예시를 보라. 선심 써서 곧 죽을 놈의 후회 들어주는데 갑자기 힘 해방하는 비열한 짓을 서슴지 않는 모습을 보고 있으면 누가 마왕이고 누가 용사인지 알 수 없는 지경이다..

그러니, 그냥 죽여라. 유언 구걸따위 단호하게 싫다고 이야기하라. 당신은 호기심이 아니라, 그런 추한 인간을 적수로 두었다는 것에 수치심을 느껴야 한다. 아니, 아예 목을 베어 놓은 다음에 거기에 대고 "듣기 싫은데." 한마디 하는 것이 좋으리라. 잔혹함과 우스개를 겸비한 마왕다운 행동이라 할 수 있겠다.

마왕이여,

용사를 이상한 이유로 살려주지 마라

"이번에는 놓아주지."

"...뭐?"

"다음에는 좀 더 재밌는 상대가 되었으면 좋겠군, 용사."

전구석에서, 만족스러운 귀가 직전 보람찬 일

놓아줄 거라면 애초부터 잡지를 말고, 안 잡을 거면 바로 죽이고, 죽일 거라면 약할 때 죽여라. 계속하여서 이야기하지만 살려주는 것은 마왕답지 않은 멍청한 행동이 맞다. 그들이 섬기는 빌어먹을 신들이 강조하는 미덕 중 하나가 자비인데, 어째서 마왕인 당신이 그런 미덕을 지키고 있는 것인가? 독실한 신자인 마왕은 들어본 적이 없고, 당신을 섬기는 자들에 대한 모욕이기도 하리라. 그러니 그들의 마음 정도는 헤아려, 지혜롭고 사악한 마왕답게 행동하라.

만약 용사를 통해서 재미 좀 보고 싶다면 약한 그들을 농락하는 선에서 끝내라. 강해진 용사와 싸우고 싶다면 당신과 겨루고 싶어하는 무투파 간부와 싸우면 될 일이다. 어차피 그 시점이면 아직 용사가 수많은 시련이나 여정을 통해 강해지기 전인 '애송이 상태'일 텐데, 그 즈음이면 수련을 거친 용사보다 시골에 있는 간부가 더 세다. 힘겨루기는 그들과 하고, 용사같은 불량 장난감은 가지고 놀고 빨리 치워버려라.

마왕이여,
성대한 전투를 기대하지 말라

"그래서, 그녀석의 상태가 최고의 컨디션이 아니라고?"

"그렇습니다."

"좋은 생각이 났다. 용사를 치료해라! 곧 있을 투쟁전에 그놈을 내보내겠다! 마지막까지 올라와 내게 대적한다면 즐겁겠군."

3시간, 갑자기 대진표를 수정한 투기장 관리인의 당일 수면시간

당신보다 약한데다, 컨디션도 따지는 이와 싸울 이유는... 약한 상태에서 죽이는 것이 최선이라는 것을 당연히 이야기하고 싶으나, 이쯤 되면 취향이니 그러러니 하겠다. 다만 이러한 싸움을 할 때 오락성을 지닌 유희로 만들지 말고, 담백한 결투로 끝낼 것을 추천한다. 고대의 투기장에서, 자신이 준비한 투사들을 상대시키고, 마지막에 자신이 직접 상대해준다는 드라마틱한 전개가 마왕전설의 이야기로

아주 걸맞을 지도 모른다.

그러나 그 과정에서 당신이 용사 목에 건 폭탄 목걸이는 터뜨리려는 순간 누군가가 섬광같이 나타나 반으로 쪼개는 일이 일어날 수 있고, 부하가 짓밟거나 마무리 지으려는 순간에 갑자기 웬 마족이 나타나 그것을 막고 변신을 풀어서 협공으로 부하에 이어 당신까지 함께 쓰러뜨릴 지도 모른다. 소문난 잔치에 사람이 많은 것은 당연하고, 그 중에 용사의 조력자가 있을 확률이 높아지는 것도 당연하다.

그러니 용사를 잡아온 그 자리에서 그의 면상에 장갑과, 검 한자루를 던지고 결투를 시작하라.[24] 당신의 전설을 기록할 이는 마왕의 말을 의심할 여지가 없으니 누구에게 딱히 증명할 필요도 없다. 애초에 당신이 마족 중에 가장 강하니까 그 자리에 있고 모두가 그것을 승복하고 있지 않은가?

관객이 필요하다면 결투의 녹화본을 보여주는 것으로 충분하다. 그리고 녹화본은 얼마든지 당신의 멋진 모습이 부각되도록 편집이 가능하고, 당장 주변에 관객이 없다는 것은 변수가 최소화된 상태로 용사를 처형 가능하다는 뜻이다.

---

24) 중세시대 기사들은 결투장 외에 면상에 장갑을 던지는 방식으로도 결투를 선포했다

마왕이여,
에너지 충전 마법의 약점을 보완하라

"크아아아아아-!"
"마왕이 마력을 모으고 있어!"
"최후를, 절망을 맞이하라!"
"...끝난 건가..."

에너지를 직관하기 위한 선글라스 판매가 성행한지 3분 전

·

에너지를 모을 때 생기는 두 가지 약점이 있다. 무방비해지는 당신. 당신이 강력한 공격을 위해 에너지를 모으는 것까지는 그렇다 치자. 전력을 다해 부수는 당신의 모습은 아름답다. 그러나 그것을 아는가? 그들에게 쉬는 시간이나 대책 세우는 시간이기도 하다. 아직 덜 다치고 지친 놈들은 당신에게 공격을 퍼부어 방해도 할 것이다.[25] 말해두겠는데, 이건 스포츠가 아니다. 하프타임 따위 주지 마

라. 공정하고 강한 것을 원한다면 마왕에서 무도가로 전향이나 하라. 체질에 안맞는 길을 무리하지 말고.

이렇게 많은 양의 에너지를 모으는 기술을 쓸 일이 얼마나 있겠나 싶지만, 빠르게 모으는 연습은 용사와 싸우기 전에 심심풀이도 되고, 기술 숙련도를 높일 수도 있는 좋은 활동이므로 되도록 권장하는 바이다. 당신이 기를 모으는 동안에 적의 움직임을 붙들어둘 부하나 양산형 기계들을 풀어놓는 것도 도움이 된다.

두번째는, 에너지체 자체의 문제다. 그것은 느려터지게 떨어지고, 그마저도 용사놈들이 양손으로 버텨낸다. 가끔은 밀어낼 때도 있다. 그러니 닿으면 녹아버리는, 빠른 발사속도를 가진 투사체 마법을 익혀라. 물론, 녹이는 마법이라고 "흥, 흔적도 없이 사라졌군."같은 대사 따위를 하며 궁전으로 돌아가지 말자.

---

25) 만화 <드래곤볼>의 손오공은 약점을 보완하기 위해 고기방패 동료를 두었다

마왕이여,

죽일 심산이라면 시체까지 죽여라

"후, 힘을 오랜만에 썼더니 피곤하군. 돌아가겠다."

그 때, 용사의 몸뚱이가 끝이 보이지 않는 절벽 아래로 힘없이 떨어진다.

"이 높이에선 살 수 없겠지. 실망스러웠다, 용사."

용사가 처음보는 원주민의 막사에서 깨어나기까지 17시간

그 높이에서 살 수 없는 것은 보통이다. 절벽에서 떨어져 행방불명 되는 것을 사망으로 판단할만 하다.[26] 그러나 그것을 아는가? 머리에 총을 2발 박히고도 죽지 않은 경우[27]도 있고, 성인이라 불린 이를 창[28]으로 찔러서 사망을 확인했음에도 3일 뒤에 부활하기도

---

26) <셜록 홈즈의 회상록>에서 홈즈가 라이헨바흐 폭포에 떨어지고는 행방불명됐다

27) 게임 '폴아웃 라스베이거스'의 플레이어블 캐릭터 '배달부'

28) 예수의 시체를 찌른 '롱기누스의 창'

한다. 요란한 공격으로 흙먼지가 일지 않게 하고(매우 중요하다), 용사가 피격당하는 것이 확실하게 보이는 위치에서 사살하라.

　단순히 피가 튀기도록 난자하는 걸론 부족하다. 하나하나가 살갗을 뚫고 반대편까지 관통하는 공격을 머리나 가슴과 같은 급소에 난사하거나, 주먹만한 구멍을 가슴에 대여섯 개는 뚫어놓고 영혼을 뽑아낸 뒤 갈기갈기 찢어내어라. 당신의 숙적이니 이 정도로 잔혹해질 필요는 충분하며, 이건 당신대로 그만큼의 강적이라는 것을 인정하는 표시이므로 그런 이에게 보내는 경의라고 생각하라. 그것이 경의인지 아닌지는 형체를 알아보기 힘들어진 시체 따위가 판단할 리 없으니, 당신이 원하는 대로 생각하면 될 일이다.

마왕이여,
당신은 무적이 아님을 깨달아라

"이럴 리가 없어, 나는 무적이란 말이다!"
"우정의 힘이 있다면 무찌르지 못할 적은 없어!"

최종 변신 후 8분 째, 힘이 점점 빠져나가는 마왕

무적의 뜻을 아는가? 無敵, '겨룰 상대가 없다'는 뜻이다. 그런데 당신을 이지경까지 몰아세운 것은 자연재해인가? 우연히 날아온 운석에 맞고 이 지경이 되었는가? 아니다. 앞을 똑바로 보라. 용사, 당신의 적이다. 그러므로 당신은 용사가 있는 시점에서 무적일 수가 없다.

자신의 과거를 최대한 객관적으로 보라. 여기서 '객관적'이란 말은 그저 자신의 과거를 비뚤게 보는 비관주의나 되라는 게 아니다. 수많은 이들을 학살하고, 악의 군대를 진격시키고, 수많은 마족을 굴복

시켜 왕에 오른 당신. 그것은 당신이다. 하지만 지금 상황을 만든 것은 지금까지의 당신이다. 무적이 아닌 당신도 포함하여. 그런 과거를 부정해버린다면, 당신은 원하는 만큼 자신을 재단한 반쪽짜리 당신에 불과하다. 그래서는 무적은커녕 완전한 한 명의 마족조차 되지 못한다.

그러니 자신을 부정하지 말라. 바뀌지 않는 것에 도전한들 바뀌지 않는다. 모든 것을 받아들이고, 거기서 아주 조금만 더 생각하라. 그 순간 당신은 과거의 모음집에서 정확히 한 걸음 더 나아간 존재이다. 그제야 당신은 바뀐 것이다.

이제 진정하고 바라볼 수 있게 되었다면, 당신은 여기까지 몰렸다는 사실을 인정하고 조금 더 냉정하게 상황을 판단할 준비가 되었다. 그러면 아직 쓰지 않았던 기술, 폭탄으로 바꿔놓은 병사, 폭탄으로 바꿔놓은 인질, 폭발이 가득한 무기들이 아직 당신에게 남아있으며, 우위를 탈환해낼 방법이 아직 주변에 산재하다는 사실이 눈에 들어올 것이다. 하다못해 도망을 가서 뒷날을 기약할 계책이라도 생각날 것이다. 그러니, 무적이라는 자존심을 버리고 파멸로부터 비켜서라.

마왕이여,
상황에 따라 용사를 신뢰하라

"마왕, 피해!!"

"하, 내가 네놈 속셈을 모를 것 같나! 죽어라!"

"진짜로 위험하다고!! 빨리 엎드리라니까!!!"

별을 한바퀴 돌고 온 마력탄환이 등을 꿰뚫기 3초 전

용사는 굉장히 비열한 존재임을 잊어선 안된다. 당신을 무찌르기 위해 거짓말을 얼마든지 할 수 있고, 그걸 인지하고 있음도 이용하여 가끔 진실을 섞어 우리를 기만한다. 그럴 때는 용사에게서 등을 돌리지 않은 상태로 주변을 살피도록 하라. 결코 속아 넘어가는 게 아니다. 한 수 더 멀리 내다본 거다. 우리가 그 말을 믿지 않으리라는 용사의 계산을 철저히 부숴버리자. 어떤 우주 마왕은 원숭이의 이 방식에 넘어가서 말을 안듣다가 몸뚱이가 반토막이 나버렸다.29)

그리고 이 상황을 이용하는 방법은 반대도 가능하다. 용사가 위험한 상황에 처하려 할 때, 당신이 경고의 말을 하는 것이다. '자신의 적에게 도움이 되는 조언을 할 리가 만무하다'고 용사는 생각할 것이다. 의심도 안하는 뇌가 꽃밭인 용사라면 곧이 곧대로 듣겠지만, 그건 그것 대로 좋을 일이다. 당신에 대한 오해와 의심이 시작되기 때문이다. 바로 의심에 결론을 내지 못하게 "너가 살았으면 좋아서 그랬다!" 따위 말보다는 "오해하지 마라" 같은 말로 용사의 혼란스러움을 유지시켜라. 그러면 그의 마음에 빈틈이 생기기 마련이고, 이는 방심으로 이어진다.

---

29) 만화 <드래곤볼>의 프리저가 비열한 손오공에게 속아넘어갔다!

마왕이여,
싸구려 도발이나 도전에 관심주지 말라

"마왕, 네놈의 운도 결국 여기까지구나! 나에게서 도망쳐 숨어다니며 악행을 벌이는 것도 이제 끝이다!"
"애송이 주제에 뚫린 입이라고 잘도 지껄이는군!"

용사가 마왕의 마력구를 한 손으로 쳐내기 1초 전

용사가 당신을 도발해오기 시작할 때가 있을 것이다. 고작 인간 따위가 자신에게 그런 말을 하다니, 용서못할 일이다. 그러나 함정이란 어떤 것인지 생각해보라. 상대가 알지 못하도록 숨기는 것이며, 그것에 걸려들도록 유도하는 것이다. 당신이 훨씬 강하다는 걸 아는 그들이 과연 아무 생각 없이 그런 말을 하였겠는가? 비장의 수단이나 계책이 있고, 그것에 승산을 걸어볼 만하다고 판단하였기에 싸움을 걸고 도발을 시전한 것이다.

해결법은 간단하다. 무시해라. 어떤 정보가 새나가서 약점이 들통 난 것이 아닌지 확인해보는 것도 좋고, 더 방비를 단단히 하여도 좋 고, 용사를 해치울 간부들을 소집해 단박에 쓸어버릴 수 있도록 전 력을 집결시키는 것도 좋다. 이 좋은 일들을 놔두고 버러지들의 말 을 들어줄 이유는 전혀 없다. 이상한 관심종자에게 먹이를 주지 않 는 것은 인간 사이에서도 유명할 정도로 기본 소양이다.

마왕이여,
최강의 무기를 마무리에 쓸 생각 말라

"그래, 네놈의 마무리를 이걸로 하지 않으면 섭하지."
허공에서 손을 뻗자, 곧 칼자루가 쥐어지고, 검신이 생겨났다.
"마검, 벤타니아...!"
"내가 가진 최강의 무기. 이걸로, 끝이다."

몸을 가누지 못하는 용사를 손수 처형하려는 마왕

용사가 갇힌 감옥의 위치를 특정하지 못하도록 유명한 곳에 감금하지 말라는 조언을 기억하는가? 그와 비슷하다. 동방에는 1년에 한 번, 11월 셋째 주에 열리는 시험에서 어려운 수학 문제 고작 두 개를 풀려고 몇 백시간, 몇 천시간을 투자하곤 한다. 같은 문제가 나올 리는 없으나, "어려운 문제"는 확실히 나올 것이므로 그에 대비한다. 그 어린 인간들도 한다는 말이다.

그렇기에 일반적인 무기나 힘에는 대응하지 못할 수도 있으므로 뭘 소환하느라 공들이지 말고, 지금 손에 든 무기로 용사를 제압했다면 그 무기를 그대로 사용하여 즉시 처형하라. 비장의 기술을 선보이고 싶다면 자신이 힘을 발휘하여도 어느 정도 버틸 간부에게 살짝 시험해보고 문제가 없음을 확인하는 수준에서 만족하라.

개중에는 다음 용사에게 마왕 처치라는 대업을 맡길 심산으로 당신이 가진 최강의 무기를 어떻게 해보려 자살특공하는 독종들도 있다. 이게 만에 하나라도 통한다면 수지타산이 전혀 안 맞으므로 비상시에만 사용하라.

마왕이여,
쓸데없는 인질 따위 데려오지 말라

"하아, 하아, 하아, 하아..."
공주는 어느새 주박이 풀린 채로 마왕의 배를 단검으로 꿰뚫었다.
'빈틈을 만들어준 지금이 기회다!'
"이 쓰레기들이!!!!!"

결전의 순간, 용사와의 결투로 참격 자국이 무수한 탑 꼭대기에서

    싸움에 공주를 데려온 이유가 무엇인가? 자신의 승리를 자랑하고
자 관객을 초청하였는가? 그렇다면 관람 에티켓을 지킬 수 있도록
만들어라. 그러니까, 크게 소리지르지 않고, 앞좌석을 죽이려 들지
못하게 강력한 최면을 걸어라. 더 쾌적한 환경에서 전투가 가능하며,
용사에게 패배한 척 하면서 구해준 인질이 방심한 용사에게 치명적
일격을 가하도록 만들 수도 있다. 위의 예시와는 정반대로 용사가

단검에 꿰뚫리도록 말이다. 방심은 마왕의 전유물이 아님을 기억하라. 모든 것이 끝났다 생각하여 희망에 찬 용사의 얼굴이 당혹과 공포로 변하는 모습은 상당한 볼거리이므로 강력히 추천하는 바이다.

물론 볼거리를 위해 인질에게 용사와 맞붙게 하거나 처형을 명령하지 마라. 마무리 상황에 갑자기 눈물을 흘리면서 손을 멈추는 최면 인형보다는 당신의 손이 훨씬 빠르고 정확하다.

마왕이여,

부하 뒷담은 멈추고, 터놓고 이야기하라

"마왕이시여. 암흑 7기사의 일원인 임팔루스는 어찌 되었나이까?"

"아아, 그 녀석 말인가? 그런 녀석 따위 처음부터 내 안중에도 없었다. 제멋대로 내게 기대해서 용사에게 달려가 자폭해버렸더군. 멍청하긴."

"..."

모퉁이에서 이를 듣던 임팔루스가 배신하기 17일 전

'주둥아리는 재앙이 드나드는 문이요, 혀는 몸을 베어내는 칼이다'[30] 라는 속담이 있다. 입간수를 잘 해야만 하는 이유는 멀리 있지 않다. 완전한 당신의 편이 없다는 것은 알고 있으리라. 그러나 이미 당신 편인 사람을 적으로 돌리는 짓거리를 할 이유는 없다.

눈 앞에 있는 것이 당신의 부관이든, 어머니든, 심지어는 무덤에

---

30) 풍도의 시 中 '구시화지문 설시참신도'

묻혀있는 자든 상관없이 말조심하며, 어느 그늘에서 내 말을 듣는 이가 있을 지 모른다는 가능성을 항상 염두하며 발언하라. 왕의 권한으로도 내뱉은 말을 없던 것으로 만들지 못한다. 누군가를 욕하고 싶다면 차라리 정당한 이유를 가지고 그에게 직접 말하라. 당사자는 그 순간에 기분이 나쁠 지언정 뒷얘기로 알게 된 자신의 안좋은 평판을 접하는 만큼은 아닐 것이다.

마왕이여,

용사를 잡은 뒤에 처리를 고민하지 마라

"마왕님, 드디어 용사를 사로잡았습니다!"

"그래. 드디어로군. 녀석을 감옥에 가둬라! 녀석의 처형방식을 고민하겠다."

마왕성에서, 용사와 죄수들의 폭동까지 7주 전

당신의 오랜 비원이었던 용사를 드디어 산채로 잡았다. 그런데 어째서 잡아온 다음에 고민하고 있는가? 이는 제대로 된 목표 설정 없이 그저 '용사가 왔을 때 생각해도 늦진 않겠지'하는 게으름에서 기인하였으리라. 그러니 이 사고의 게으름을 최대한 줄여야 한다.

먼저, 게으름이 발생하는 이유에 대해 고찰해보자.

그저 '개인의 성격 문제 때문이다'같은 말은 '성격이나 생활 패턴을 고치면 된다' 따위의 두루뭉술한 답변만 생산하므로 무시하라. 일의 우선순위와 그에 따른 선택 결과이다. 당신이 게으름을 피면서 한 일들이 있으리라. 그것들을 기억해보라. 스켈레톤의 머리로 캐치볼을 했거나, 밥 먹고 옥좌에서 온종일 꾸벅꾸벅 졸다가 다시 밥 먹으러 갔거나, 근처의 간부 싸움을 구경했다. 이 행동들의 공통점은 난이도가 굉장히 낮다는 점이다. 그러나 온갖 변수에 처형 방식까지 고민하는 것은 굉장히 귀찮은 일이며, 상대적으로 난이도가 높다고 할 수 있다. 그러니 한 번에 모든 고민을 해서 높은 난이도로 여겨 차일피일 미루지 않도록 단계별로 나누어 진행하라. 이 사고방식의 예시를 하나 들어보겠다.

당신은 어둠의 숲까지 가서 수련을 할 예정이다. 하지만 수련을 하러 가자니 굉장히 귀찮아진다. 당장에 밥 먹고 쉬는 것이 더 편하기 때문이다. 그럼 '옷을 걸쳐야지'라고 생각하라. '수련하러 가야지'가 아니다. 그 후에는 '옷도 걸쳤겠다 밥이나 먹자', '밥 먹고 조금 걸을까', '밖에서 구경거리 좀 찾아봐야지', '가는 길에 간부얼굴이나 좀 보자', '숲에 과일 좀 맛있었으니 하나 따다 갈까' '숲까지 온 김에 수련 좀 해야겠다'와 같은 작은 단계를 걸치면 난이도에 대한 부담감이 완화되면서 행동을 취하기가 한결 편해진다.

마왕이여,
공략 가능한 비밀 따위 알려주지 말라

"그래, 한가지 알려주지."

"무엇을..."

"나의 이마에 있는 보석이 나의 약점이다. 공격 한번 맞추지 못하는 네놈에겐 무리겠지만 말이야."

용사 파티 저격수에게 이마가 깨지기 6분 28초 전

약점은 당신의 약한 부위이다. 그런데 그것을 스스로 밝히는 것의 이유가 무엇인가? 바꿔 말해보자. 당신이 갑옷을 입은 이유가 무엇인가. 공격으로부터 당신을 보호하기 위함이다. 속옷을 입는 이유가 무엇인가. 성기를 가리기 위함이다. 지금 당신이 한 행동은 속옷을 벗어던지고는 "나는 속옷을 입지 않았지!"하고 자랑스레 이야기하는 멍청이와 하등 다를 바가 없다. 알겠는가? 전부 다 풀어헤친들 멋있지 않다.

만약 전략상으로 이용하기 위해 거짓으로 약점을 말했다 변명하겠다면, 별로 좋은 생각은 아니라 생각한다. 약점이라면 감추려 드는 것이 상식이요, 약점을 말해주면 그것'만' 노리지 않는다. 경계하면서 그것'도' 대처하기에 딱히 유도한대로 행동하지 않을 확률이 높다. 그러므로 거짓 약점은 은근하게 보여주어라. 이러면 제멋대로 착각하고 그곳을 노리려고 애쓸 것이고, 딱히 약점이 아니기에 치명타가 되지 않는 공격따위 받아내고 역으로 공격을 가하면 용사에게 자신이 한 밑작업이 전부 헛수고였다는 정신적 충격까지 겸할 수 있다.

마치며

축하한다. 당신이 이곳까지 완독을 하였다면 용사에게서 살아남을 확률은 비약적으로 높아졌으리라. 하지만 마왕의 수천년 인생에서 일어날 사건이 겨우 45가지에 불과할 리는 없다. 용사는 그보다 많이 나타날 수 있고, 그만큼 이 책의 예상도 많이 벗어날 지 모르는 일이다.

하지만 당신은, 적어도 무언가를 바꾸기 위해 이 책을 집었다. 마왕의 숙명이라고 할 수 있는 패배의 연쇄를 끊고자, 어떠한 터닝포인트를 필요로 하였을 것이다. 이미 이 책을 집은 시점에서 당신은 변하였으리라. 도움을 줄 수 있게 되어 필자는 감사를 표하는 바이다.

책의 마지막 장까지 왔으니 마왕들께 감히 밝히자면, 필자는 한명의 나약한 인간이다. 결코 당신들을 기만할 생각은 아니다. 그러나 비록 악행이라고는 해도, 무언가를 이루기 위해 노력하는 당신들이 언제나 실패하는 것이 마음 아팠다. 당신에게 부디 도움이 되었길 바라며 이만 줄이도록 하겠다. 용사를 제거하는 즐거운 마왕 생활이 되기를 마음 깊이 기원한다.

'프로젝트'라는 단어가 그리 낯설지 않은 요즘. 여럿이 모여 몇 권의 '책'을 만들기로 했다. 일상 곳곳에서 맞닥뜨리는 지극히 익숙한 대상이지만, 줄곧 읽을 생각만 했지 정작 이를 만드는 일까지는 상상해 보지 못했던 터였다.

'가천'에서 '인문'으로 만난 이들. 처음부터 끝까지 기획, 집필, 편집, 디자인 모두 이들 손에 이루어졌다. 매년 이맘때면 이런 결과물이 앞자리 번호를 달고 하나둘 쌓이리라 기대한다. 시간을 거스르며 결국은 그 숫자들이 우리를 이어 줄 것이다.

짧지만 강렬했던 한 달이 지난 지금, 어느새 모두 책 한 권의 저자가 되었다. 첫 출판의 도전을 마치자마자 우리는 또 각자 새로운 이야기를 꿈꾼다. 그 출발을 함께할 수 있어 기쁘고 벅차다.

'가천 인문 책 프로젝트' 시리즈

01 나도 모르게 먹히었다
김주민, 이하윤, 이예빈, 박용춘

02 스무 살은 무거워서 집에 두고 다녀요
백희원, 김창희, 한예지

03 배라도 든든하게, 글밥 한 끼.
김미경, 신성호, 정량량

04 쩝쩝박사
김준형, 이금라, 임세아, 한주희

124 마치며

김가윤, 손수민, 이창규, 정다연

2023년 12월
'가천 인문 책 프로젝트'를 시작하며,
가천대학교 인문대학

마왕에게 꼭 필요한 조언 모음집

발　행 | 2024년 1월 8일
저　자 | 김동현
펴낸이 | 한건희
펴낸곳 | 주식회사 부크크
출판사등록 | 2014.07.15.(제2014-16호)
주　소 | 서울특별시 금천구 가산디지털1로 119 SK트윈타워 A동 305호
전　화 | 1670-8316
이메일 | info@bookk.co.kr

ISBN | 979-11-410-6519-5

www.bookk.co.kr